Gerhard Dambmann
Gebrauchsanweisung für Japan

D0240853

Gerhard Dambmann

Gebrauchsanweisung für Japan

Piper
München Zürich

Mit 10 Abbildungen des Autors

In gleicher Ausstattung liegen vor:

ISBN 3-492-03289-3
3. Auflage, 13.–16. Tausend 1990
© R. Piper & Co. Verlag, München 1981
Gesetzt aus der Times-Antiqua
Gesamtherstellung Clausen & Bosse, Leck
Printed in Germany

Inhaltsverzeichnis

Einmal sehen ist besser
als hundertmal hören

Kein Motto scheint mir für eine Reise in das Land der aufgehenden Sonne besser geeignet, verehrte Leserinnen und Leser, als diese asiatische Weisheit. Genau dies – aufgehende Sonne – bedeutet die Übersetzung der japanischen Bezeichnung für Japan, Nippon. Damit ist auch der rote Sonnenball im weißen Feld als Japans Nationalflagge erklärt.

Von allen großen Kulturnationen und modernen Industriestaaten ist Japan bis heute dem Westen am unbekanntesten geblieben. Jahrhundertelang hat Chinas beherrschende Kultur den Europäern den Blick auf das übrige Asien verstellt, während die Japaner das Ihrige dazu taten, um sich vom späten Mittelalter bis ins vorige Jahrhundert vor dem Westen weitgehend zu verbergen.

Eine der chinesischen Delegationen, die in wachsender Zahl die Bundesrepublik besuchen, wurde vor dem Rückflug nach Peking von westdeutschen Journalisten befragt, ob sie, bei allem Lob über die gelungene Reise, wirklich nichts Negatives vorzubringen habe. Doch, meinte daraufhin zögernd einer der Chinesen, leider sei die Delegation häufig mit Japanern verwechselt worden.

Der unerfahrene Ostasienreisende kann aus diesem Stoßseufzer nicht nur lernen, daß sich Japaner und Chinesen (und Koreaner) auf den ersten Blick schwer auseinander halten lassen, sondern auch, daß solche Verwechslungen keineswegs wie Komplimente wirken. Das ist kein Wunder, da sich Japaner und Chinesen in ihren Traditionen, ihren Wertvorstellungen und in ihrem Verhalten elementar unterscheiden. So leben alle Chinesen in dem Bewußtsein, die älteste lebende Hochkultur der Welt zu verkörpern – allein dieses Wissen gibt ihnen eine beispiellose Selbstsicherheit bis zur Arroganz.

Die Japaner dagegen können nicht vergessen, daß sie als einfaches Volk von Bauern und Kriegern in die Geschichte eingetreten sind und ihre prägenden kulturellen Impulse importierten, vor über tausend Jahren aus China und vor mehr als hundert Jahren aus den westlichen Industriestaaten. Hinter japanischer Selbstsicherheit verbirgt sich daher in Wirklichkeit meist die Sorge, ja der Komplex, von den hochentwickelten Kultur- und Industriestaaten nicht ganz voll genommen zu werden, eine Befürchtung, die sich endlich angesichts der weltweiten Wirtschaftserfolge Japans langsam verliert. Ihre Maßstäbe für Spitzenleistungen jeder Art beziehen die Japaner noch immer von draußen, während die Chinesen, vor allem wenn es um kulturelle Werte geht, sich selbst heute wie seit Jahrtausenden für das Maß aller Dinge halten.

Verhaltensunterschiede kommen hinzu: die Japaner sind Meister in der Kunst des Planens, wie ihre erfolgreiche Wirtschaftsstrategie beweist. Die Chinesen hingegen improvisieren besser, wahrscheinlich weil es dem einzelnen relativ leichtfällt, eine Entscheidung zu treffen, während die Japaner, die sich selbst mehr als Mitglieder einzelner Gruppen (z. B. von Schulklassen, Firmen, Stadtvierteln oder Dorfgemeinschaften) und weniger als Individualisten empfinden, ungern Einzelentschlüsse fassen. Statt dessen ringen sie sich in oft langwierigen und umständlichen Prozeduren zu Gemeinschaftsentscheidungen durch, die jedoch, einmal getroffen, kaum mehr umzustoßen sind.

Die nationalen Gegensätze reichen tief bis in die Wertvorstellungen. Die Loyalität der Chinesen gilt in erster Linie und fast ausschließlich ihrer Familie, und zwar der ganzen weitverzweigten Großfamilie bis hin zu den entferntesten Vettern und Tanten. Auch japanische Loyalität ist personenbezogen, doch spielt die Familie als Kleinfamilie nicht die allein entscheidende Rolle. Was dem Chinesen die Sippe bedeutet, finden viele Japaner heutzutage in ihrer Firma, die allein schon durch die lebenslange Unkündbarkeit des Stammpersonals und in ihrem hierarchischen Aufbau eine Geborgenheit gewährt, die der Zugehörigkeit zu einer Großfamilie durchaus ähnelt. Jeder Ostasienreisende sollte sich davor hüten, Erkenntnisse über eines der beiden Völker ungeprüft auf das andere zu übertragen.

Nicht zuletzt liegt Japan, wie jeder Reisende auf

dem endlosen Flug nach Ostasien bald in seinem Rücken spürt, von Europa sehr weit entfernt, als Endstation auf der anderen Seite der Erde, nicht als Drehscheibe auf dem Weg irgendwohin.

Apropos Ostasien – sprechen Sie dort nie vom »Fernen Osten«, denn dieser Begriff setzt nun einmal Europa als Zentrum der Welt voraus. Sie verstehen...

Heute fehlt auf keiner wichtigen Weltkonferenz ein japanischer Politiker, japanische Wissenschaftler besuchen jeden Weltkongreß, japanische Autos rollen auf den abgelegensten Landstraßen Europas, Amerikas und Afrikas, und japanische Uhren, Kameras und Stereo-Anlagen dekorieren die Schaufenster der ganzen Welt, während diese immer noch nicht recht weiß, wie sie die Japaner nun eigentlich verstehen soll. Was sind das für Menschen, die sich neben der Badewanne waschen, die auf dem Fußboden schlafen, die rohen Fisch für eine Delikatesse halten und mit Holzstäbchen essen? Eine kaiserliche Prinzessin fiel noch Anfang dieses Jahrhunderts fast in Ohnmacht, als sie zum erstenmal mit Messer und Gabel hantieren sollte, wo doch ein Messer allenfalls in die Hand eines Metzgers gehört!

Ähnlich, wenngleich umgekehrt, geht es den Japanern im Ausland. Erschauern müssen sie jedesmal, wenn sie sehen, wie die Europäer mit ihren Schuhen in der Wohnung herumlaufen und den Straßenstaub bis ins Schlafzimmer tragen. Unbehagen muß es ihnen bereiten, wenn Amerikaner, die »nein« meinen, auch ganz laut und deutlich »nein« sagen. So stehen die japanischen Politiker und Wissenschaftler auf Konferenzen oft ein bißchen verloren abseits, als würden sie nicht dazu gehören. Und nur selten löst sich eine japanische Touristengruppe auf einer Überseereise in alle Himmelsrichtungen auf.

Ihnen, verehrte Japanreisende, steht nun die Lösung des Rätsels Japan unmittelbar bevor. Zen-Meditationen in stillen Tempeln und die brüllenden Lautsprecher in den Vergnügungsvierteln, Polizisten, zu deren Ausbildung Ikebana, die Kunst des Blumensteckens, gehört, Höflichkeit und Gastfreundschaft, die in der Welt ihresgleichen suchen, und rüde Rempeleien in der U-Bahn, Kirschblütenkult und die Zerstörung der Natur, Bescheidenheit und Ehrlichkeit, doch auch Korruption, bei der es immer gleich um Millionen geht, Teezeremonie und Arbeitsbesessenheit – wie paßt das alles zusammen?

Auf den folgenden Seiten werden Sie die Antworten nicht finden, die muß jeder selbst auf seine Weise suchen. Und erfahrungsgemäß fallen diese Antworten auch sehr unterschiedlich aus. Mit diesem Buch, dieser »Gebrauchsanweisung«, will ich Ihnen aber die Suche durch ein paar Hinweise und Ratschläge erleichtern, Ihnen also etwas Lehrgeld ersparen, wo doch ohnehin vieles so teuer ist. In diesem Sinne – *yoku irrashaimase*, herzlich willkommen!

Ankunft –
die erste Lektion

Wer zum erstenmal japanischen Boden betritt – in den meisten Fällen dürfte dies auf Tokios internationalem Flughafen Narita geschehen –, braucht sich keinerlei Sorgen zu machen. Die Japaner sind nicht nur gastfreundlich, sondern sie verstehen es auch, perfekt zu organisieren. Schon im Flugzeug hat jeder Passagier rechtzeitig ein kleines, auch in Englisch verfaßtes Formular bekommen, in das für die spätere Paßkontrolle diverse persönliche Angaben einzutragen sind. Ganz ohne Bürokratie geht es nie. Daß etwa Paßbeamte einreisende Fluggäste einfach durch die Kontrolle winken könnten, manchmal ohne sich überhaupt die Pässe anzusehen, wie einem das zu Hause passieren kann, wird man in Japan nie erleben.

Wer also das Flugzeug verläßt, braucht nur den anderen Passagieren nachzulaufen und steht dann bald vor den zwei Schaltern der Paßkontrolle, die jeweils neben japanisch auch englisch beschriftet sind: »Japanese« für Japaner und »Alien« für Ausländer. So kann der Besucher, wenn ihm in den Wirren der

Ankunft noch Muße zu völkerpsychologischen Betrachtungen bleibt, gleich eine der wichtigsten Erkenntnisse für das Verständnis Japans gewinnen, daß nämlich für die Japaner die Menschheit aus zwei Kategorien besteht, aus Japanern – und aus allen anderen. Darüber aber erst später mehr, da Fluggäste, die um die halbe Welt gereist sind, an der Paßkontrolle kaum zu völkerpsychologischen Betrachtungen neigen werden. Der Paßbeamte hantiert mit seinen Stempeln, wobei es in Japan mindestens drei oder vier sein müssen, heftet die Kopie des Einreiseformulars in den Paß, den er zurückgibt, und entläßt den Besucher zur nächsten Station, zu der eine Treppe hinabführt, zur Gepäckausgabe. Selbst wenn mehrere Maschinen zur selben Zeit angekommen sind, entsteht kein Chaos. Große Schilder über den einzelnen Fließbändern zeigen die einzelnen Flugnummern an, die jeder Passagier schon vom Einsteigen her kennt. Und nie muß man auf seine Koffer so lange warten wie in Frankfurt.

Auch hier wäre durchaus wieder Anlaß zu völkerpsychologischen Studien. Wie kommt es, daß Europäer und Amerikaner pro Person mindestens einen schwerbepackten Koffer für eine Reise brauchen, während viele Japaner mit dem Inhalt einer Umhängetasche um die Welt fliegen können? Wahrscheinlich hängen Japaner weniger an den materiellen Produkten dieser Erde. Schon allein die allen bewußte Tatsache, daß Erdbeben und, als deren Folge, Großfeuer Japans Siedlungen im Laufe der Jahrhunderte immer wieder zerstörten, läßt Japaner in dem Gefühl aufwachsen, daß irdische Dinge nicht von Dauer sind. Nicht, daß sie keinen Spaß an Fernsehgeräten, modischen Kleidern und alten Möbeln hätten; im Gegenteil, kaum ein Volk der Welt kauft so gerne ein, wechselt so gerne den neuesten Typ eines Autos oder ein Kleid im neuesten Chic gegen Vorjahresmodelle aus. Doch vom Besitzerstolz lassen sich Japaner nicht überwältigen. Irgendwie liegt über aller Freude das Wissen, daß Erdbeben, Feuer und Taifune den angesammelten Wohlstand über Nacht zerstören können. Man muß die Gegenwart genießen, ohne zugleich von den materiellen Gütern abhängig zu werden.

Außerdem drängt sich die breite Mehrheit der Bevölkerung auf engstem Raum zusammen, da, was die meisten Ausländer übersehen, nur der kleinste Teil der bergigen Inseln Japans bewohnbar ist. In den engen japanischen Quartieren aber ist einfach kein Platz für prallgefüllte Kleiderschränke, für dekorative und zugleich überflüssige Möbel. Von Kind an lernen Japaner, mit dem Notwendigsten zurechtzukommen. Was braucht man da für eine lange Reise mehr als ein bißchen Wäsche, die man abends selbst im Hotel sauber spült und morgens wieder anzieht, als ein paar warme Sachen für kühle Tage, ein paar Toilettenartikel und nicht zuletzt ein paar kleine Gastgeschenke ...

Hat man nun sein Gepäck gefunden, trägt oder rollt man es auf bereitstehenden Drahtkarren zur nahen Zollkontrolle, wobei es Schalter gibt für Einreisende, die etwas zu verzollen haben, und solche, die meinen, nichts verzollen zu müssen. Die Zollvorschriften entsprechen im großen ganzen denen der meisten anderen Länder und sind überdies auf Tafeln allen sichtbar zusammengefaßt. Beim Alkoholimport sind die japanischen Behörden besonders großzügig und erlauben immerhin drei Flaschen pro Person.

Wer aus Europa kommt, wird meistens nur sehr oberflächlich kontrolliert. Wer aus Bangkok oder Hongkong einreist, muß mit einer gründlichen Untersuchung rechnen, die jedoch in jedem Fall sachlich-freundlich bleibt. Bei wem jedoch nur ein einziges Gramm Rauschgift gefunden wird, der landet zunächst einmal im Gefängnis.

Falls jemand ein paar Worte oder gar fließend Japanisch spricht, ist er gut beraten, hier noch nicht seine Sprachkünste auszuprobieren, sondern den Dummen zu spielen. Die Zöllner sprechen fast nur Japanisch und sind meistens froh, wenn ein Ausländer ohne Komplikationen ihre Hürde passiert. Um so mehr Fragen haben sie dann für jene Ankömmlinge bereit, mit denen sie sich verständigen können. Sprachkenntnis hilft nicht, sie verzögert nur die Abfertigung. Diese Regel gilt auch ganz allgemein für den Umgang mit der japanischen Bürokratie. Wiederholt hat sich gezeigt, daß es in komplizierten Fällen wesentlich besser ist, einen völlig sprachunkundigen Ausländer zur Behörde zu schicken, statt einen japanischen Mitarbeiter oder Freund zu bitten einzuspringen. Vor einem hilflosen Ausländer kapitulieren letztlich viele Beamte erschöpft und verstört, selbst auf Kosten der Vorschriften, während einem Japaner kein Formular und kein Stempel erspart bleibt.

Und noch ein Ratschlag, der viel Ärger ersparen könnte: Wer später mehr Gepäck erwartet, weil er es vielleicht als Luftfracht oder per Schiff verschickt hat, sollte spätestens hier bei der Zollkontrolle ein Formular für »Unaccompanied Baggage« ausfüllen und abstempeln lassen, sonst gerät die Zollabfertigung der später eintreffenden Koffer und Kisten zum Alptraum.

Nach der Zollkontrolle ist der Reisende endlich angekommen – in Japan, wenngleich noch nicht in Tokio, denn die Stadt liegt von hier etwa siebzig Kilometer entfernt.

Die wahre Geschichte vom Bau des Weltflughafens Narita ist noch nicht geschrieben worden: warum es beim Bau zu blutigen Schlachten zwischen Ordnungswächtern und einer Allianz von linken Extremisten und Bauern kam; und wie viele Millionen dieser Flughafen verschlang, der jahrelang fix und fertig, aber unbenutzt dastand, bis er endlich 1978 in Betrieb genommen wurde. Diese Geschichte würde von Politikern handeln müssen, die vom Fortschrittswahn verblendet waren, von Grundstücksspekulanten, von überheblichen Beamten und von frustrierten Linken, die nach dem Ende des Vietnamkrieges neue Zielscheiben brauchten.

Sie würde auch von Bauern berichten müssen, die von den einen für dumm verkauft und von den anderen vorgeschoben wurden. Vielleicht steht sogar das letzte Kapitel noch aus: Skeptiker halten es nicht für ausgeschlossen, daß Narita in ein paar Jahren für den Zivilverkehr geschlossen und in einen Militärflughafen verwandelt werden könnte, wenn zuvor der alte Flughafen Haneda, unmittelbar am Stadtrand in der Bucht von Tokio gelegen, ins Wasser hinein ausgebaut würde, wodurch dann der für alle Beteiligten viel angenehmere frühere Zustand praktisch wiederhergestellt wäre. Daß der Kampf um Narita noch immer nicht völlig beendet ist, fällt den meisten Fluggästen kaum auf. Die vielen Kontrollen und Wachen verrichten ihre Arbeit diskret. Und daß Narita für Schaulustige gesperrt ist, um ungebetene Demonstranten und Störer abzuhalten, hat für die Fluggäste den Vorteil, daß hier weniger Trubel und Gedränge herrscht als auf den anderen Großflughäfen der Welt.

Eine bequeme und preiswerte Omnibuslinie verbindet Narita mit dem City Air Terminal, einer Flughafen-Abfertigung nahe dem Stadtzentrum, von dort aus kann man dann per Taxi zu seinem Ziel weiterfahren. Wer bereit ist, mehr als zweihundert Mark auszugeben, kann gleich in Narita ein Taxi mieten. Auch eine Bahnverbindung existiert, doch um die Züge zu erreichen, muß man vom Ankunftsgebäude zunächst eine kurze Strecke mit einem Bus fahren. Das ist für Ankömmlinge, die doch meist mit Gepäck beladen sind, sehr lästig.

Gerüchte wollen wissen, daß die Benutzung der Privatbahn auf diese Weise erschwert werden soll, weil die Flughafenbetriebsgesellschaft und die Eigentümer der Buslinie zur Stadtabfertigung sich einander eng verbunden fühlten. Soviel steht fest, daß es kein technisches Problem gewesen wäre, die Privatbahn direkt bis zur Flughafen-Abfertigung durchzubauen und daß die Eigentümer der Privatbahn daran eigentlich besonders interessiert hätten sein müssen.

Die lange Fahrt in die Stadt auf gebührenpflichtigen Autostraßen ist manchmal in einer Stunde zu schaffen. Wer sichergehen will, rechnet für die Entfernung Flughafen–Stadtbüro (und umgekehrt) bei etwas Verkehr mit bis zu zwei Stunden. Langweilig ist die Strecke nicht. Sanfte grüne Hügel, an deren Hänge sich Bambuswälder schmiegen, und kleine Täler, mit winzigen Feldern übersät, lassen die Schönheit der Landschaft ahnen. Dann kündigt ein Gewirr von dörflichen Siedlungen, monotonen Wohnblocks, Lagerhallen und Fabriken die nahe Großstadt an.

Kilometerlang führt die Autobahn schließlich auf Stelzen über kleine hölzerne Wohnhäuser hinweg, die so eng aneinander stehen, daß selbst die baufälligste Hütte nicht umfallen könnte. Dies könnte die Gegend sein, in der ein hoher Vertreter der Europäischen Gemeinschaft die Erkenntnis gewann, viele Japaner wohnten noch heute in Kaninchenställen, was durch eine Indiskretion in die japanische Presse sickerte und einen Sturm der Empörung verursachte. Besonnene Kommentatoren allerdings meinten, so ganz falsch sei das leider nicht. Zwei, drei Flüsse und Kanäle überquerend erreicht der Bus endlich die supermodernen Wolkenkratzer und damit das Herz der Elf-Millionen-Stadt.

Der Kimono bleibt auch in der jüngeren Generation beliebt

Hotels
und wie man sich bettet

Wer Tokio erreicht hat, landet fast automatisch zunächst in einem der großen Hotels westlichen Stils. Der einzige Unterschied zu den Riesenherbergen Europas besteht darin, daß sie ausnahmslos besser sind. Ein Zimmer ohne Bad ist selbst in den billigeren Unterkünften unvorstellbar. Farbfernsehgeräte, Durchwahltelefone und häufig auch Kühlschränke gehören zur Standardausrüstung, diverse Restaurants bieten zur Auswahl westliche und japanische Küche, der Room-Service liefert Mahlzeiten in die Zimmer vom frühen Morgen bis spät in die Nacht und oft sogar rund um die Uhr, Friseur, Souvenirläden, Buchhandlung und Sauna halten bis in die späten Abendstunden offen, schmutzige Wäsche liegt spätestens vierundzwanzig Stunden nach der Weggabe sauber und gebügelt im Schrank, eintreffende Botschaften werden in Abwesenheit des Gastes zuverlässig notiert und ausgerichtet, kurzum, es gibt keinen bequemeren Reiseaufenthalt als in Japans internationalen Hotels, vorausgesetzt nur, daß jemand die happigen Preise zahlen kann.

Die luxuriösesten Hotels der Welt dürften gegenwärtig in Ostasien zu finden sein, in Tokio, Hongkong, Bangkok, Manila, Singapur, weil sich nur hier die moderne technische Perfektion des Westens mit dem traditionellen Service Ostasiens kombinieren läßt. Wer allerdings die Kosten eines solchen Aufenthalts nicht als Geschäftsreise verbuchen kann und wer nicht zu einer Reisegruppe gehört, wird sich einen längeren Aufenthalt aus eigener Tasche kaum leisten können.

Vom Ausland noch fast unbemerkt, hat sich in letzter Zeit eine neue Kategorie von Hotels aufgetan, vorwiegend für sparsamere japanische Geschäftsreisende, weshalb sich diese Herbergen »Bischiness Hoteru« (*business hotels*) nennen. Auch sie liegen zentral, zu jedem Zimmer gehören ein kleines Bad ebenso wie der Farbfernseher und das Telefon. Doch die Zimmer selbst sind meist winzig, und oft ersetzt ein Kleiderhaken den Schrank. An Sauberkeit stehen sie den internationalen Hotels nicht nach, doch da sie auf übermäßigen Aufwand verzichten, auf Room-Service und Souvenirläden und auf die vielen Restaurants und die marmorverkleidete Riesenlobby, kostet eine Übernachtung oft nur halb so viel wie in den Häusern mit den weltbekannten Namen. Wer eine Unterkunft hauptsächlich zum Schlafen braucht und nicht, um auch tagsüber darin bequem zu wohnen, der kann in den neuen Hotels für Geschäftsreisende eine Menge Geld sparen, ohne deswegen auf Komfort verzichten zu müssen. In den großen internationalen Hotels überwiegen häufig die ausländischen

Gäste. In den neueren preisgünstigeren Unterkünften wohnen meist mehr Japaner, doch auch dort lebt man ganz im westlichen Stil, mit Bett und Tisch und Stuhl. Genauso »westlich« geht es längst in den Schulen zu, mit Stühlen und Bänken, und auch in den Büros der Wirtschaft und der Behörden arbeitet selbstverständlich jeder auf einem Stuhl sitzend an einem Schreibtisch. Nur zu Hause in den eigenen engen vier Wänden und in den traditionellen Restaurants leben Japaner noch auf Strohmatten, also auf ebener Erde. Doch diese überlieferte Lebensweise erscheint vielen inzwischen als recht beschwerlich. Wer den größten Teil des Tages die Schulbank oder den Bürostuhl drückt, tut sich schwer, den Abend kniend oder im Schneidersitz zu verbringen. So manchem Japaner, der seine ausländischen Freunde um der Exotik willen abends in ein japanisches Restaurant ausführt, schmerzen Rücken- und Wadenmuskeln anschließend nicht weniger als dem ungeübten Gast. Wer es sich leisten kann, paßt sich westlichen Lebensgewohnheiten an. Läge es nicht am beengten Raum, der so viele Menschen dazu zwingt, ihr Wohnzimmer allabendlich durch das Ausrollen dünner Matratzen (*futon*) in ein Schlafzimmer zu verwandeln, hätte sich ganz Japan inzwischen wahrscheinlich auf westlichen Wohnstil umgestellt.

Jeder Japanbesucher auf Urlaubs- oder Bildungsreise möchte gern einmal in einem Ryokan übernachten, dem traditionellen japanischen Hotel. Dazu sollten Sie, geschätzte Leserinnen und Leser, wissen, daß es sich beim Ryokan nicht einfach um eine inzwischen angestaubte, alte Form der Übernachtung handelt, sondern um einen unseren westlich-individuellen Vorstellungen geradezu entgegengesetzten Wohnstil. Ryokan sind nämlich nicht primär darauf eingestellt, Einzelreisende zu beherbergen, sie sollen in erster Linie den sich in Gruppen wohl fühlenden Japanern einen angenehmen Aufenthalt ermöglichen.

Beim Betreten eines Ryokan zieht der Gast zunächst im Flur, wie zu Hause, die Schuhe aus, wobei in besseren Unterkünften ihm rasch herbeieilende, in Kimonos gekleidete weibliche Bedienstete helfen, so wie das oft in der Wohnung auch die Ehefrau tut; sodann geleiten die Damen die Gäste in ihre Räume, verschwinden und kehren kurz darauf mit einem Begrüßungstee zurück, wobei sie, sobald sie den Raum betreten, in die Knie sinken und sich dann nur noch rutschend durchs Zimmer bewegen. Eine wohlerzogene Dienerin wird dabei dem Gast nie den Rücken zukehren, also auch beim Verlassen des Zimmers das freundlich lächelnde Gesicht dem Gast zugewendet, rückwärts rutschend dem Ausgang zustreben.

Das Zimmer selbst ist von klassischer Schlichtheit: kein Bett, kein Tisch, kein Stuhl. Den Fußboden bedecken weiche Matten aus Reisstroh (*tatami*), auf denen allenfalls einige dünne Kissen liegen. Im Ryokan lebt der Gast auf ebener Erde. Doch weil dies, wie gesagt, inzwischen auch vielen Japanern schwerfällt, findet man neuerdings in vielen Ryokan Sitzkissen mit eingebauten Armstützen und Rückenlehnen. Bald nach der Ankunft wird dem Gast bedeutet,

seine westlichen Kleider abzulegen und in den bereitliegenden dünnen Baumwoll-Kimono, *yukata* ge-
nannt, zu schlüpfen. Es gibt in schwüler Sommerhitze
kein bequemeres Kleidungsstück. Unterdessen läßt
die Dienerin bereits das heiße Wasser einlaufen, falls
zum Zimmer ein eigenes Bad gehört. An dieser Stelle
seien alle Ryokan-Neulinge vor einem unverzeih-
lichen Fehler gewarnt, nämlich in das Badebecken zu
steigen und sich dort in aller Gründlichkeit zu säu-
bern.

Den Japanern dient das heiße Bad (*ofuro*) ausschließlich zur Entspannung.

Man säubert sich zuvor, auf einem Holzschemel-
chen neben dem Becken sitzend, indem man sich mit
kleinen Kübeln voller kaltem und heißem Wasser
übergießt, das aus in die Wand eingelassenen Häh-
nen fließt; und erst nachdem man sich von Kopf bis
Fuß eingeseift und dann kübelweise die letzten
Schaumreste weggespült hat, folgt der erholsam-ent-
spannende Genuß im heißen Wasser des Ofuro. In
den meisten Ryokan liegt nicht neben jedem Zimmer
ein eigenes Bad, dort trifft man sich im Gemein-
schafts-Ofuro, zu festgesetzten Zeiten, für Männer
und Frauen getrennt.

Auf das heiße Bad folgt im Ryokan das Essen,
nicht in einem Speisesaal, sondern wiederum im Zimmer von Dienerinnen serviert, die vor jeden Gast
einen niedrigen Tisch stellen, auf dem sich bereits alle
Speisen, dekorativ arrangiert, befinden. Jeder Gast
im ganzen Ryokan bekommt das gleiche Essen. Nach
der Abendmahlzeit, wenn Speisen und Bier oder

Reiswein schläfrig machen und die ermattende Wirkung des heißen Bades eintritt, rollen Dienerinnen die Futons auf den Tatamis aus. Bald liegt das Haus im Schlaf.

Die westliche Unterscheidung von Einzel- und Doppelzimmern gilt nicht im Ryokan, hier zählt allein die Raumgröße. Die meisten Japaner sind es gewohnt, daß in einem Ryokan so viele Futons ausgerollt werden, wie Platz in einem Raum vorhanden ist, solange man nur zur selben Gruppe gehört. Dorfgruppen aus Männern und Frauen bestehend oder Firmendelegationen schlafen unbekümmert im selben Zimmer, wenn man sich nur genügend gut kennt.

Häufig lassen sich die Schiebetüren der Ryokan-Räume nicht abschließen, oft trennt nur eine dünne Papierwand den Raum zum Nachbarzimmer ab, wobei sich diese Papierwände durch Anheben leicht herausnehmen lassen, so daß aus zwei kleineren Zimmern ohne Umstände ein großer Raum entsteht. Jedes kleinste Geräusch, jedes gedämpfte Gespräch ist nebenan mitzuhören. All dies stört die meisten Japaner nicht, in ihren eigenen Holzhäusern geht es ähnlich zu, auch dort kann sich niemand von den anderen isolieren.

Oft wollen sich Japaner gar nicht von ihren Mitmenschen abkapseln. Wer eine japanische Firma besucht, ein Handelshaus oder eine Zeitungsredaktion, trifft grundsätzlich alle Mitarbeiter, untere und mittlere Vorgesetzte eingeschlossen, in Großraumbüros. Zu Hunderten arbeiten die Angestellten und Redakteure in einem riesigen Raum, eng nebeneinander, ohne die geringste Möglichkeit für ein bißchen private Existenz. Vorgesetzte erkennt man nur am etwas größeren Schreibtisch und oft an einer davor aufgestellten Sitzecke aus Sofas mit weißen Schonbezügen. Jeder nimmt, gewollt oder ungewollt, an der Tätigkeit seines Nachbarn teil. Japaner schätzen diese Tuchfühlung, diese hautenge Nähe. Für viele Europäer wäre sie ein Kündigungsgrund.

Kein Ryokan gleicht dem anderen. In den meisten stehen heute als unverzichtbare Möbelstücke Farbfernsehgerät, Kühlschrank und Telefon auf den Bodenmatten. In einigen Häusern sind den japanischen Zimmern kleine Räume im westlichen Stil vorgelagert, mit Rauchtisch und Sesseln. Manche Ryokan bieten inzwischen westliches Frühstück und eine Auswahl von Speisen an. Doch sie alle atmen eine gewisse familiäre Atmosphäre, weshalb denn zahlreiche Ryokan Ausländer abweisen oder nur nach gutem Zureden aufnehmen, nicht aus Fremdenfeindlichkeit, sondern weil sich Ausländer wegen der Sprachschwierigkeiten und wegen ihrer ewigen Sonderwünsche nur schlecht in das japanische Gruppendasein einfügen.

Im Ryokan erlebt der Besucher noch ein Stück unverfälschtes Japan, zumal sich die Türen zu japanischen Familien nur sehr schwer öffnen. Allerdings muß ich vor der Illusion, Ryokan seien als Relikte aus der Vergangenheit preiswerter als die neuen westlichen Hotels, nur nachdrücklich warnen. Ein erstklassiges Ryokan hält nicht nur qualitativ, sondern auch preislich den Vergleich mit den internationalen Häusern aus.

Von Taxis, U-Bahnen
und anderen Bequemlichkeiten

Taxis gibt es in Japan wie Japaner an der Loreley. Man muß die Wagen nicht erst suchen. Man stellt sich einfach an den Straßenrand und wartet. Dieses Verfahren funktioniert in den Hauptstraßen sogar lange nach Mitternacht bis in die frühen Morgenstunden. Doch Vorsicht: In Japan herrscht Linksverkehr. Wer den fließenden Verkehr prüft, sollte immer erst nach rechts blicken, denn von dort kommen die Fahrzeuge auf der eigenen Straßenseite.

Sobald ein Taxifahrer einen Kunden sichtet, tritt er voll in die Bremsen, sei es mitten in einer Kurve oder in der engsten Gasse. Wer folgt, muß warten. Benutzer betrachten deshalb die Taxis als einen Segen, während die übrigen Autofahrer sie als lebensgefährliche Verkehrshindernisse fürchten.

Zwar existiert eine Unzahl verschiedener Taxifirmen, und jede malt ihre Wagen auf andere Weise an (viele Taxis gehören auch ihrem Fahrer), doch sind sie alle schon von weitem an einem kleinen Aufbau mitten auf dem Dach zu erkennen. Daß sie frei sind, sieht man an einem kleinen roten Schild oder an leuchtenden roten Schriftzeichen links hinter der Windschutzscheibe.

An eine Besonderheit müssen sich Ausländer erst gewöhnen: der Fahrgast kann die Tür auf der linken Seite, also zum Bürgersteig hin, weder öffnen noch schließen (die rechte Seite bleibt wegen des Gegenverkehrs ohnehin immer verriegelt), dies besorgt ausschließlich der Fahrer über ein Hebelgestänge von seinem Sitz aus.

Allzu viel Gepäck sollte man nicht dabei haben, schon gar nicht, wenn man zu zweit oder zu dritt einsteigt. Der Behälter für Gas, mit dem die meisten Taxis angetrieben werden, ist in den Kofferraum eingebaut, in dem zahlreiche Fahrer offenbar auch wohnen, wie Schuhe, zum Trocknen an Seilen aufgehängte Leibwäsche und andere Utensilien belegen.

Das einzige Problem für einen Ausländer besteht darin, sein Ziel verständlich zu machen, denn Sprachkünstler sind die meisten Fahrer nicht. Zwar kennen sie sich in der riesigen Innenstadt von Tokio überraschend gut aus, doch die Tücke besteht darin, daß beispielsweise Asakusa um eine Nuance falsch betont oder mit leicht schwäbischem Akzent ausgesprochen im Fahrer keinerlei Assoziationen auslöst.

Selbst japanisch sprechende Ausländer lösen ab und zu noch Verständnislosigkeit aus, weil viele Taxifahrer einem Ausländer kein Japanisch zutrauen und sozusagen ihre Antennen bei Ausländern nicht auf japanischen Empfang schalten. Landeskundige murmeln deshalb als Vorwarnung »ano ne«, was soviel bedeutet wie »also nun« und dem Fahrer Zeit gibt, sich innerlich darauf einzustellen, es mit einem atypischen Ausländer zu tun zu haben.

Immerhin nehmen erfreulicherweise besonders unter den Jüngeren die Englischkenntnisse deutlich zu, und da fast alle Besucher dieselben Ziele anstreben (große Hotels, Kaufhäuser, Vergnügungsviertel, historische Sehenswürdigkeiten), klappt die Verständigung in den meisten Fällen besser als erwartet. Wer im Hotel wohnt und sichergehen will, sollte dem stets Englisch sprechenden Portier sein Ziel beschreiben, damit der die Botschaft an den Taxifahrer weitergeben kann.

Außerordentlich bewährt haben sich Lagepläne, japanisch und englisch beschriftet, auf denen genau verzeichnet ist, wie man zu einem bestimmten Ziel findet. So ziemlich jede ausländische Familie besitzt einen derartigen Plan, den man im Bedarfsfall, zum Beispiel Gästen, die man zum Abendessen eingeladen hat, ins Hotel oder ins Büro schicken kann. Die Taxifahrer sind Meister im Kartenlesen. Leider übernehmen manche Ausländer solche Pläne unbesehen vom früheren Mieter. Weil aber der Fischladen, an dem man links abbiegen muß, schon vor drei Jahren einer Tankstelle Platz gemacht hat, und weil die enge Gasse mit den winzigen Kneipen für Autos gesperrt und deshalb im Plan ausgelassen wurde, jedoch vom Taxifahrer mitgezählt wird, landen Gäste zwar immer in der Nähe, doch nicht immer im Ziel. In Zweifelsfällen bewährt es sich, stur im Taxi sitzen zu bleiben, bis der Fahrer vor der gesuchten Adresse steht.

Wer sich vorher aus dem Wagen komplimentieren läßt mit Handbewegungen, die andeuten, ein bißchen weiter hinten liege der gesuchte Ort, zahlt für diesen Leichtsinn meist durch langes Umherirren. Gastgeber zeigen sich keineswegs überrascht, wenn Gäste beim ersten Besuch erschöpft auftauchen, nachdem gerade das Dessert abgeräumt wurde. Die erfahrene Hausfrau hat das Essen sicherheitshalber warmhalten lassen.

Nicht die Sprachschwierigkeiten machen es so schwer, in japanischen Großstädten eine Adresse zu finden, sondern die fehlenden Straßennamen und die Nummern an den Häusern, bei der jeder Neubau einfach die nächstfolgende Nummer erhält, ganz gleich, an welcher Stelle eines Häuserblocks er liegt. Für europäisches Empfinden ist das recht chaotisch.

Nur Briefträger und Polizisten kennen sich wirklich aus, weil sie meist ihr ganzes Berufsleben im selben Viertel verbringen. Wer sich völlig verläuft, sollte sich zur nächstgelegenen Polizeistation durchfragen. Eine typische japanische Adresse besteht aus dem Namen der Stadt, dem Namen des Stadtbezirks, der Nummer des Stadtunterbezirks, der Nummer des Häuserblocks und der Nummer des Hauses. An den Häuserblock 7 kann zum Beispiel an einer Seite der Block 3 angrenzen, und zu beiden Seiten des Hauses Nr. 21 können die Nummern 7 und 44 liegen, kurzum, selbst Japaner haben ihre Probleme, sich zurechtzufinden. An den Hauptzugängen zu den einzelnen Häuservierteln stehen große Schilder mit Plänen, aus denen die Lagen der Häuserblocks und der einzelnen Häuser zu ersehen sind, doch welchem Ausländer hilft das schon weiter?

Ehrlichkeit gehört noch immer zu den Berufseigenschaften der japanischen Taxifahrer. Dem Verfasser rutschte einmal die Geldbörse mit 400 Mark in einem Taxi aus der Tasche, eine Stunde später lag sie auf der nächsten Polizeistation. Alle Taxis sind mit einem Taxameter ausgerüstet, und kein Taxifahrer käme auf die Idee, das Einschalten der Zähluhr zu »vergessen«. Genau den angezeigten Betrag schuldet der Gast. Trinkgeld für Taxifahrer ist in Japan so unüblich wie Trinkgeld überhaupt. Man braucht nicht zu handeln und muß sich nicht streiten. Korrekter geht es nicht. Es kann sogar passieren, daß ein Taxifahrer, der sich verirrte und der deswegen eine Zeitlang suchend durch die Gegend fuhr, am Schluß vom Fahrgast weniger als den angezeigten Betrag verlangt, selbst wenn der Passagier den Umweg überhaupt nicht bemerkte.

Dieses makellose Bild hat jedoch einen kleinen Schatten. Abends zwischen neun und zehn Uhr, wenn in einer für Europäer ungewohnt frühen Zeit die meisten Restaurants und Bars schließen, suchen plötzlich in den Vergnügungsvierteln Tausende von Bummlern, Hostessen, Geishas und Kellnern ein Taxi für die Heimfahrt. Nur wenige Taxifahrer können dann der Versuchung widerstehen. Wer nicht mit einem Geldschein winkt oder durch Handzeichen signalisiert, daß er bereit ist, den doppelten oder dreifachen Preis zu zahlen, muß lange warten. In solchen Augenblicken der Hochkonjunktur gilt nicht

Dorfbewohner: von harter Arbeit gebeugt

die Zähluhr, sondern das Gesetz von Angebot und Nachfrage.

Wer in Tokio die *U-Bahn* benutzt, ist gut beraten. Schneller, sicherer und preiswerter läßt sich kein Ziel erreichen. Selbst nicht Japanisch lesende Passagiere dürften sich hier leichter zurechtfinden als in der U-Bahn zwischen Bonn und Bad Godesberg.

Die Fahrscheine kauft man in Automaten, über denen jeweils ein Plan des gesamten U-Bahn-Netzes hängt, wobei unter jeder Station verzeichnet ist, wieviel Yen die Strecke bis dorthin kostet. Die einzige Schwierigkeit liegt darin, daß diese Netzpläne nur japanisch beschriftet sind, doch wer ein bißchen länger in Tokio lebt, erkennt rasch die Schriftzeichen der wichtigsten Stationen, und wer meist dieselbe Strecke fährt, braucht diese Informationen schon beim zweiten Mal nicht mehr. Wer das Geld nicht passend hat, wirft mehr in den Automaten, der dann das Wechselgeld zurückgibt. Besondere Wechselautomaten tauschen Geldscheine in Münzen um.

Auf den Bahnsteigen steht jeweils nicht nur deutlich in Japanisch und Lateinisch der Name der Station, sondern darunter sind auch die zwei Stationen vorher und nachher bezeichnet, wobei ein Pfeil die Fahrtrichtung angibt, damit niemand einen Gegenzug besteigt. Alle Züge haben nur eine Klasse. Am praktischsten ist es, die allererste U-Bahn-Fahrt zusammen mit einem hilfsbereiten Japaner zu machen, dann verliert man sogar bald die Angst vor dem Umsteigen. Sich nach dem exakt eingehaltenen Fahrplan zu richten, ist eigentlich überflüssig, denn die Züge verkehren so dicht aufeinander, daß man nie länger warten muß. Und selbst nach Mitternacht braucht man in einem fast leeren Zug keine Angst zu haben, angepöbelt oder gar überfallen zu werden. In den späten Nachtstunden stellen die U-Bahnen den Verkehr ein. Nachtschwärmer sollten sich informieren, wann der letzte Zug geht – oder der erste frühmorgens.

Wer beim Lösen des Fahrscheins eine zu billige Fahrkarte zieht oder wer weiterfährt als ursprünglich geplant, der legt beim Verlassen des Bahnsteigs dem Fahrkartenkontrolleur einfach den Differenzbetrag dazu, ohne Diskussion, ohne Mehrgebühr. Die U-Bahn-Verwaltung unterstellt nämlich ihren Fahrgästen, daß sie nie mogeln, sondern sich allenfalls einmal unbeabsichtigt irren. Woraus zu ersehen ist, daß man unter der Erde von Tokio eine Menge über die Japaner lernen kann.

Von den weltbekannten Fotos, auf denen stramme Männer mit weißen Handschuhen die Menschenmassen in hoffnungslos überfüllte Wagen drücken, sollte sich niemand abschrecken lassen. Diese Bilder stimmen, doch nur zu bestimmten Stunden an bestimmten Tagen, wenn beispielsweise auf einigen Linien gestreikt wird und sich der Verkehr auf wenigen Strecken zusammenquetscht. Wer es sich leisten kann, sollte »antizyklisch« U-Bahn fahren, also dann, wenn die meisten Benutzer noch zu Hause oder bereits angekommen sind.

Typisch für Japans *Eisenbahnen* ist, daß sie nicht nur auf die Sekunde abfahren und ankommen, sondern daß sie auch auf den Bahnsteigen auf den Zentimeter genau an deutlich sichtbaren Markierungen halten, so daß jeder Reisende mit einer Platzreservierung im voraus weiß, wo er einsteigen muß, und daß kein Passagier in einen Wagen zu klettern braucht, weil die Türen sich exakt auf der Ebene der Bahnsteige öffnen. Die Erste Klasse heißt »Green Car« und ist an außen aufgemalten großen grünen Kleeblättern zu erkennen. Reisende im schnellsten Zug der Welt, im Hikari, können einen Teil des Fahrgeldes zurückverlangen, falls der Super-Express mehr als zwei Stunden Verspätung erreicht. Zweifelhaft ist es, ob eine solche technische Meisterleistung heute noch zu wiederholen wäre, denn in einer der am dichtesten besiedelten Landschaften der Erde donnert der Hikari kilometerlang auf Stelzen über Wohngebiete hinweg – für die Menschen, die daneben oder darunter leben müssen, eine kaum erträgliche Belastung. In den Nachkriegsjahren des hektischen Aufbaus nahm die Bevölkerung vieles in Kauf, was ihr heute als unzumutbar erscheint. So haben wütende Bewohner von Einfamilienhäusern, denen die aus dem Boden schießenden Wolkenkratzer Licht und Luft wegnahmen, vor den Gerichten ein »Recht auf Sonne« durchgesetzt und damit die Änderung und Anpassung von zahlreichen Großbauprojekten erwirkt.

Neben der staatlichen Eisenbahn existiert eine Vielzahl privater Linien. Dies führt beispielsweise dazu, daß in Tokio keineswegs alle wichtigen Züge vom Hauptbahnhof abgehen. Wer zum Berg Fuji will, beginnt seine Reise mit einer Privatbahn in Shinjuku, und wer die Tempel und Schreine in Nikko besuchen möchte, muß im Bahnhof einer Privatlinie im Vorort Asakusa einsteigen.

Ausländischen Besuchern, die sich nicht gleich zurechtfinden, sei geraten: je hilfloser man sich in Japan gibt, desto rascher wird einem spontane Hilfe zuteil.

Perfekt organisiert ist schließlich auch der *Flugverkehr*, wobei vor allem in einem Inselstaat die Vorzüge dieses Verkehrsmittels auf der Hand liegen. Was vor Jahrzehnten mit Omnibussen, Fährschiffen und Eisenbahnen oft Tage in Anspruch nahm, läßt sich heutzutage in Minuten bewältigen. Selbst für japanische Verhältnisse relativ kleine und abgelegene Städte sind in ein dichtes Flugnetz einbezogen. Zwischen den großen Bevölkerungszentren verkehren die Maschinen morgens und spätnachmittags oft in dreißigminütigem Abstand. Flugreisen gehören zum Alltag.

Schlechtes muß allein vom *Straßennetz* berichtet werden. Die wenigen Autobahnen, fast alle beschränkt auf den Großraum zwischen Tokio und Osaka, täuschen darüber hinweg, daß man in Japan sein Auto am besten zu Hause läßt, vor allem auf größeren Reisen. Schon die Natur ist autofeindlich. In den wenigen Ebenen, in denen sich die Bevölkerung wie sonst kaum in der Welt zusammendrängt, fehlt es an Raum für großzügige Autobahnen und breite Parkflächen. Vier Fünftel des Landes bestehen aus Bergen und Gebirgsketten, die jeden Straßenbau schwierig und teuer machen. Und die meisten Inseln sind nur umständlich mit Fährschiffen zu erreichen. Eine Autofahrt durch die japanische Provinz entwickelt sich allzu oft zu einer Kriecherei auf engen, kurvenreichen Straßen durch nie endende Reihen von Holzhäuschen, durch Wohnbezirke und Ladenviertel, die meistens keine Bürgersteige haben, ständig auf der Hut vor Kindern und Fahrrädern, eingeklemmt zwischen Lastwagen, am Überholen durch einen nicht abreißenden Gegenverkehr gehindert, angewiesen auf spärliche Straßenschilder, die nur japanisch beschriftet sind. Womit die Frage beantwortet ist, ob sich Besucher einen Wagen mieten sollten, um auf diese Weise durch Japan zu bummeln.

Hingegen brauchen Ausländer, die sich auf längere Zeit in Japan niederlassen, für den Stadtverkehr, zur Fahrt ins Büro und für Besorgungen nicht auf ihr Auto zu verzichten, vorausgesetzt, daß sie bei ihrer Wohnung einen Parkplatz nachweisen können, ohne den die Polizei keine Zulassung ausstellt. Sich einen japanischen Führerschein zu besorgen – wenn man bereits einen ausländischen Führerschein besitzt –, ist nicht schwierig; geprüft wird praktisch nur, ob man gut sehen kann. Am Anfang zahlt jeder Lehrgeld, indem er sich ein paarmal verfährt, weil die Straßen einander so ähnlich sehen. Einen deutschen Kameramann veranlaßte das, sich einen kleinen Kompaß neben das Steuerrad einzubauen, damit er trotz Kurven, Einbahnstraßen und Umleitungen die Grundrichtung nie verlor. Wer Alkohol trinkt, sollte seinen Wagen zu Hause stehen lassen. Die Polizei kontrolliert streng, und wer erwischt wird, dem hilft auch nicht, daß er kein Japanisch versteht (oder daß er seine Unkenntnis spielt), der ist seinen Führerschein los.

Sie kommen geschäftlich?
Acht goldene Regeln

1

Kommen Sie nur, wenn Sie ernsthaft davon überzeugt sind, daß es sich geschäftlich für Sie lohnt. Sollten Sie sich mit dem Gedanken tragen, eine Urlaubs-
reise nach Ostasien mit einer Erkundung zu verbinden, ob in Japan für Sie »etwas drin« ist, wäre Ihr
Geld besser in einer Foto-Safari nach Kenia angelegt.
Zu viele westliche Geschäftsleute sind nämlich schon
vor Ihnen gescheitert, weil sie es sich zu leicht gemacht haben. Kein japanischer Geschäftsmann
käme auf die Idee, einen Urlaub am Rhein mit der
Anbahnung von Geschäftsbeziehungen zu verbinden.
Das eine oder das andere. So manchen Kaufmann
aus Europa hat es nach Japan getrieben, eigentlich
mehr wegen seines schlechten Gewissens und um sich
einreden zu können, es wenigstens versucht zu haben, und wohl weniger vom wahrscheinlichen Erfolg
seiner Mission beflügelt. Damit sich die Reise dann
wenigstens halbwegs lohnt, hat er gleich die Tempel
und Schreine von Kioto, Nara und Nikko mit einge-

plant. Doch Japan ist kein Land, in dem sich ein »fast buck« verdienen läßt, wo man mit ein wenig Glück, schnell und so nebenbei ein kleines Vermögen scheffeln kann. So profitabel der Markt hier sein kann, mit der kaufkräftigsten Bevölkerung der Welt außerhalb von Westeuropa und Nordamerika, so hartnäckig will er erobert sein. Auch die Schinto-Götter haben vor den Erfolg den Schweiß gesetzt.

2

Bereiten Sie sich gründlich vor. Vertrauen Sie in Japan auf keinen Fall auf die bestrickende Wirkung Ihrer Beredsamkeit. Die versickert leider schon in der trockenen Bemühtheit Ihres Dolmetschers. Japaner lassen sich lieber überzeugen als überrumpeln.

Wenn Sie Ihrem Gesprächspartner schriftliche Unterlagen übergeben, gleich beim Antrittsbesuch, machen Sie sich außerordentlich beliebt. Eine kurze Zusammenstellung mit Angaben über Ihre Firma, deren Schwerpunkte und Entwicklung und über die Produkte, die Sie verkaufen möchten (oder in Japan suchen), alles so präzise wie möglich, das kann Wunder wirken. Japaner lieben exakte Zahlen, Kurven, Statistiken. Lassen Sie nach Möglichkeit den Restposten der Prospekte, die Sie einmal für Amerika drucken ließen, zu Hause. Japaner sprechen nun einmal Japanisch. Wahrscheinlich werden Sie mit Leuten zusammenkommen, die auch Englisch beherrschen, mehr oder weniger gut, doch an der Entscheidung über Ihre Vorschläge werden mehr Japaner beteiligt sein, als Sie glauben, und weniger, die Englisch sprechen, als Sie vermuten. Wie man Prospekte in japanischer Sprache zustande bringt? Da können Ihnen die großen Wirtschaftsorganisationen in der Bundesrepublik weiterhelfen. Oder fragen Sie die Deutsche Industrie- und Handelskammer in Tokio. Sie ahnen gar nicht, wieviel Wissen und Erfahrung dort auf Abruf bereitliegen. Deshalb sollte auch Ihr erster Besuch in Japan nicht gleich den japanischen Gesprächspartnern gelten, sondern den hilfsbereiten deutschen Herren der Kammer.

Unterschätzen Sie nicht den Wert eines ausgezeichneten Dolmetschers. Nicht nur wegen der vielen Japaner, die nur Japanisch beherrschen, sondern vor allem, weil sich in der japanischen Sprache eine Mentalität spiegelt, die Konflikte zu vermeiden sucht, indem sie Zwischentöne und Andeutungen benutzt, wo man im Westen einfach »nein« oder »das geht nicht« sagen würde. Ein guter Dolmetscher überträgt nicht nur Worte, sondern setzt auch eine Mentalität in eine andere um. Dies kann Sie vor folgenreichen Mißverständnissen bewahren. Und dies erklärt auch, warum vielleicht einer Ihrer japanischen Gesprächspartner endlos lange auf den Dolmetscher einredet und der Ihnen diesen Schwall von Beredsamkeit mit der kurzen Bemerkung übersetzt, leider sei da nichts zu machen.

Geben Sie sich seriös. In Japan wird es im Sommer sehr heiß, da fühlen Sie sich im buntkarierten Seidenhemd vom Zwischenstop in Bangkok bestimmt wohler als in Jackett und Krawatte. Doch so anpassungsfähig und modern die Japaner in wirtschaftlichen Dingen auch sein mögen, ihre Kleidersitten entlarven sie als grundkonservativ. Wer sich nicht ernsthaft gibt, wird nicht ernst genommen. Ziehen Sie sich also an wie für einen Kondolenzbesuch, zwischen dunkel und neutral, und, bitte, geben Sie sich nicht überschwenglich. Viele Japaner sind eher reserviert und ungelenk, wenn sie zum erstenmal Fremden gegenübersitzen, seien es auch nur eigene Landsleute; das gilt erst recht, wenn es sich um Ausländer handelt. Verzichten Sie auch auf jene kleinen Scherze, auf jene ironischen Flachsereien, mit denen man in angelsächsischen Ländern gern die ersten Hürden nimmt. Erzählen Sie nicht, Sie seien die zwanzig Minuten vom Hotel zu Fuß hergekommen, weil Sie gerne liefen, sondern fahren Sie, auch wenn die besuchte Firma gleich neben Ihrem Hotel liegt, in einer schwarzen Miet-Limousine vor, deren Fahrer die vorgeschriebenen weißen Handschuhe tragen wird. Das gehört zum Ritual. Und wählen Sie auf jeden Fall eines der zahlreichen internationalen Hotels im westlichen Stil und nicht ein traditionell japanisches Ryokan.

Sollte Ihre Frau mit nach Japan gekommen sein, dann empfehlen Sie ihr einen Ladenbummel, während Sie sich zum ersten Geschäftsbesuch aufmachen (es sei denn, daß Ihre Frau in Ihrer Firma eine verantwortliche Position innehat). Denn mag Ihre Frau auch noch so liebenswürdig und geschickt sein, ihre Anwesenheit würde die geschäftlichen Besprechungen nur erschweren. Kein Japaner würde je seine Frau zu einer Konferenz mitbringen.

4

Erwarten Sie keine Entscheidung vom Firmenchef. Vielleicht werden Sie bei Ihrem ersten Besuch vom Präsidenten, vom Chef der Firma, empfangen. Das ist in den meisten Fällen ein älterer Herr mit wohltuenden Manieren, der, in einem Sessel mit weißen Schonbezügen sitzend, eine freundliche Konversation pflegt, über Ihre ersten Eindrücke und über die Beschwernisse einer langen Reise. Er wird sich aber gar nicht so recht an Ihren geschäftlichen Vorschlägen interessiert zeigen. Lassen Sie sich trotzdem nicht entmutigen. Das war nämlich zu erwarten.

Die Entscheidungsprozesse innerhalb japanischer Firmen verlaufen meistens umgekehrt wie im Westen, nicht von oben nach unten, sondern von unten nach oben. In Japan bestimmt nicht die Firmenleitung wie ein Generalstab den Schlachtplan, den dann die Belegschaft wie eine Truppe auszuführen hat. Hierzulande werden alle Pläne, Anregungen und Möglichkeiten von unten her auf ihre Chancen, Kosten und Auswirkungen geprüft. Dabei denkt nicht nur jeder an sein spezielles Ressort, sondern alle versuchen, möglichst frühzeitig einen breiten Konsensus herzustellen. Mögen Anregungen auch aus den höheren und mittleren Etagen kommen, so werden alle Projekte nicht nur von unten her geprüft, sondern die untere Ebene erarbeitet auch ein von allen Beteiligten gebilligtes Gesamtkonzept. Das läuft dann langsam seinen Weg nach oben, wobei es durchaus noch ergänzt und verbessert werden mag, ohne daß es zu radikalen Änderungen kommt, bis es schließlich die Firmenspitze erreicht, die dem Projekt letztlich nur noch den formalen Segen geben muß. Dazu eignen sich auf Harmonie bedachte ältere Herren besser als karrierebewußte Super-Manager. (Diese zeitraubende Form japanischer Mitbestimmung hat den Vorteil, daß jeder sich an den Entscheidungen mitbeteiligt weiß, daß sich jeder mitverantwortlich fühlt, was erheblich zu jener Geborgenheit beiträgt, die japanische Firmen ihrem Stammpersonal bieten.)

Daß dies alles nicht blasse Theorie ist, merken Sie im zweiten Teil Ihrer Konferenz, wenn Sie plötzlich einem Dutzend und mehr Herren vorgestellt werden, die nun gar nicht mehr an Ihren Reiseerfahrungen, um so mehr aber an Ihren geschäftlichen Plänen Interesse zeigen. Mißtrauische ausländische Kaufleute neigten früher einmal dazu, jene Massierung japanischer Gesprächspartner für einen Verhandlungstrick zu halten, mit der Absicht, einen Ausländer einzuschüchtern, doch hat sich dieser Verdacht längst als falsch erwiesen. Mit Ihnen am Tisch sitzen ganz einfach die Vertreter sämtlicher Bereiche, die an einer Meinungsbildung beteiligt sind (vom Einkauf über

Marketing kann dies bis hin zu Qualitätsprüfung und zur Werbung gehen) und die später – ohne Sie – über das Schicksal Ihrer Offerte entscheiden werden. Nichts wäre verheerender, als diesen Kreis zu unterschätzen, als alle Anstrengungen auf die Chefetage zu konzentrieren, in der irrigen Annahme, wenn erst die Geschäftsleitung auf Ihrer Seite sei, laufe alles andere von selbst. Das Gegenteil stimmt. Nur wenn es Ihnen gelingt, Ihre vielen Partner auf der unteren Ebene zu überzeugen, kommt das Geschäft zustande. Spätestens hier erkennen Sie auch den Nutzen von Prospekten in japanischer Sprache.

Neuerdings gibt es auch japanische Firmen, die nach westlichen Management-Methoden geleitet werden, doch handelt es sich dabei eher um Ausnahmen, die jeder Besucher gleich erkennt. Auf jeden Fall sind Sie gut beraten, sich geistig darauf einzustellen, daß es in japanischen Firmen japanisch zugeht.

5

Haben Sie Geduld. Da Entscheidungen nicht von einem einzelnen Mann getroffen werden können (Frauen werden Ihnen in den Chefetagen vorwiegend als Tee-Serviererinnen begegnen), brauchen Entscheidungsprozesse ihre Zeit. Anderseits lohnt sich das Warten. Japanische Verbraucher schätzen ausländische Waren besonders hoch und stören sich nicht an den höheren Preisen. Daß die Japaner selbst inzwischen zahlreiche Produkte herstellen, deren Qualität an die der einstigen westlichen Lehrmeister heranreicht oder sie gar übertrifft, hat sich zwar überall in der Welt herumgesprochen, nur noch nicht überall in Japan.

Rechnen Sie also nicht mit einer raschen Entscheidung. Ob es sich lohnt, einen Japanaufenthalt länger auszudehnen, oder ob es besser ist, eine spätere zweite Reise ins Auge zu fassen, oder Ihre Interessen durch eine der in Japan etablierten deutschen Handelsfirmen oder durch ein japanisches Handelshaus weiter verfolgen zu lassen, läßt sich nicht generell entscheiden. Daß eine Entscheidung auf sich warten läßt, heißt nicht, daß Ihre Chancen schlecht stünden.

6

Gehen Sie davon aus, daß die Japaner vom japanischen Markt am meisten verstehen. Oder noch deutlicher formuliert: Reden Sie den Japanern nicht in Dinge hinein, von denen Sie nichts verstehen. Schlechte Beispiele gibt es genug.

Die Verpackung einer Ware spielt in Japan eine völlig andere, eine weit wichtigere Rolle als bei uns. Daß ein Produkt vier- oder fünfmal verpackt wird, in Alufolie, in Seidenpapier, in einen Karton, in Geschenkpapier, in eine Tragetasche, ist hierzulande Tradition.

Immer möchten Japaner bereits an der äußeren Umhüllung erkennen, ob ein Geschenk aus einem kleinen Laden um die Ecke oder aus einem prestigeträchtigen und teuren Kaufhaus stammt.

Oder die Werbung: sie bedient sich in Japan nicht

sosehr logischer Argumente, sie verbreitet weniger Tatsachen und Zahlen und argumentiert höchst selten mit Kosten und Preisen. Statt dessen appelliert sie vorzugsweise an Stimmungen und Gefühle. Wohlbehagen, *kimochi*, heißt eines der Schlüsselworte zum Verständnis der japanischen Psyche. Die adrett uniformierten, hübschen jungen Damen, die in den feinen Kaufhäusern am Fuß der Rolltreppen stehen und nichts anderes tun, als sich vor den Kunden immerfort zu verbeugen und ihnen ein stereotypes Willkommen entgegen zu hauchen, sollen den Kauflustigen zeigen, daß man ihnen zuliebe keinen Aufwand scheut. Daß solcher Aufwand letztlich Kosten verursacht und sich verteuernd auf die Preise niederschlägt, scheint keinen Japaner zu stören.

All dies und noch mehr werden Ihre japanischen Geschäftspartner bedenken, Japans teilweise mittelalterliches Verteilungssystem, Zollbestimmungen, Testvorschriften, bevor sie Ihnen eine endgültige Antwort geben. Wenn die dann positiv ausfällt, dürfen Sie vermuten, daß wirklich alle Zweifelsfragen geklärt sind. Der zügigen Abwicklung Ihres Geschäfts steht nun nichts mehr im Wege.

7

Halten Sie Vergnügen nicht nur für ein Vergnügen. Japaner sind außerordentlich gastfreundlich, und schon bald werden Ihre japanischen Partner Sie zu einem vergnüglichen Abend einladen, der in einem traditionellen Geishahaus oder in einem französischen Restaurant oder in einem klassischen japanischen Lokal stattfinden kann. Solche Abende beginnen in Japan früh, zwischen 18 und 19 Uhr, unmittelbar nach Büroschluß, weil die meisten Männer zu weit weg von ihrem Arbeitsplatz wohnen und nicht erst nach Hause fahren können. In der geselligen Atmosphäre außerhalb der nüchternen Büros tauen Japaner auf. Von den Geschäften wird hier gar nicht oder nur am Rande gesprochen, und doch tragen solche Stunden zum Gelingen geschäftlicher Transaktionen erheblich bei. Denn die meisten Japaner trennen nicht mit europäischer Konsequenz ihr berufliches vom privaten Dasein. Sie sind mit ihrer Firma verheiratet, oft enger als mit der angetrauten Frau. Hier also, während sich Gastgeber und Gast verwöhnen und unterhalten lassen, rückt man einander näher, entsteht Vertrauen – oder wächst Argwohn. Japans Kaufleute sind nicht nur nüchtern kalkulierende Rechner, sondern zugleich auch Menschen aus Fleisch und Blut, hingegeben an Stimmungen und Gefühle. Von einer bewährten Vertrauensbasis halten die meisten mehr als von seitenlangen Vertragsklauseln. Schon manche Verhandlungsklippe ist an einem solchen Abend umschifft worden, ohne daß sie auch nur mit einem Wort erwähnt wurde.

Doch auch in vorgerückter Stunde hüte man sich vor Aufdringlichkeit, vor Geschwätzigkeit, vor Anbiederei. Japaner, ans Zusammenleben auf engstem Raum gewöhnt, haben sich gut unter Kontrolle und schätzen Behutsamkeit, Rücksichtnahme und Un-

*Auch die wachsende Zahl exotischer Haustiere
symbolisiert Japans neuen Wohlstand*

aufdringlichkeit. Jene gutgemeinte amerikanische Ungezwungenheit, die jedermann beim ersten Treffen gleich das Du anträgt – *just call me Jack* –, ist ihnen ein Greuel. Japaner sind gesellig, und am wohlsten fühlen sie sich dort, wo man sich gemeinsam in die Freuden des Lebens teilt. Hitzige Diskussionen, gar über Politik, gehören nicht in eine solche Runde. Daß man sich streitet, ohne zwingenden Grund, nur aus intellektuellem Vergnügen, bleibt ihnen unergründlich. Häufig werden in einem solchen Kreis Sangeskünste vorgeführt. Zumindest sollte ein Gast darauf vorbereitet sein, daß man auch ihn um einen Beitrag bittet. Zu einer meiner großen Blamagen in Ostasien wird es immer zählen, daß ich einmal beim Versuch, die »Loreley« anzustimmen, nicht über die ersten vier Zeilen hinauskam, woraufhin der Gastgeber, ein Vizeminister, das Lied durch alle Strophen zu Ende sang – auf deutsch.

8

Kommen Sie wieder. So mancher deutsche Kaufmann, dessen Geschäfte in Japan gut anliefen, mußte im Laufe der Zeit registrieren, daß der Umsatz langsam und stetig zurückging. Der Grund: Er war davon ausgegangen, daß der Erfolg für sich selbst spreche, hatte also übersehen, daß neben den nüchternen Geschäftsbeziehungen die persönlichen Kontakte ebenfalls eine entscheidende Rolle spielen. Er hatte sich nicht mehr blicken lassen. Doch gerade dann, wenn sich die Erwartungen erfüllen, sollte ein deutscher

Kaufmann wiederkommen und auf diese Weise seinen japanischen Partnern seine Zufriedenheit und sein Interesse an einer Dauerhaftigkeit der Beziehung beweisen – zumal die Konkurrenz nicht schläft.

Vielleicht schauen Sie sich beim zweiten Besuch auch einmal außerhalb von Tokio um. Sapporo, Niigata, Sendai, Takamatsu, Kitakyushu – zahlreiche Großstädte, die in Deutschland fast niemand kennt, versorgen jeweils eine Millionenbevölkerung. Da diese Orte von Ausländern bei weitem nicht so überlaufen werden wie Tokio oder Osaka, Japans zweites Wirtschaftszentrum, klingt vielleicht dort Ihr Besuch besonders lang nach. In diesem Sinne: *Sayonara*.

Bei Japanern im Hause

Noch vor wenigen Jahrzehnten hätte man sich Ratschläge zum Thema »Wie benimmt man sich bei Japanern zu Hause?« ersparen können, denn Einladungen in die Wohnung einer japanischen Familie kamen so gut wie niemals vor. Auch heute noch sind sie zwar selten, doch immerhin möglich. Die Hemmung der meisten Japaner, Ausländer in ihre Wohnung zu bitten, hat vor allem zwei Gründe. Fast alle Japaner wohnen bescheidener als vergleichbare Geschäftsfreunde oder Berufskollegen in Europa, und wer lädt schon gerne Gäste ein, denen er weniger bieten kann, als sie zu Hause gewohnt sind. Hinzu kommt – und das wiegt noch schwerer –, daß die meisten japanischen Ehefrauen den Umgang mit Ausländern viel weniger gewohnt sind als ihre berufstätigen Männer.

Da andererseits den Männern in der Industrie schon vom mittleren Management ab Bewirtungsspesen zur Verfügung stehen, die wiederum Europäer vor Neid erblassen lassen, laden japanische Geschäftsleute ihre Gäste, ähnlich wie die Franzosen, am liebsten in erstklassige Restaurants ein, wo dann der japanische Gastgeber im Regelfall ohne seine Frau erscheint.

Immerhin, wer sich ein bißchen länger in Japan aufhält, sollte auf eine Einladung in eine japanische Familie vorbereitet sein. Handelt es sich bei den Gastgebern – wie wahrscheinlich in den überwiegenden Fällen – um Japaner, die im westlichen Stil leben, wird man den Gästen trotzdem nahelegen, beim Betreten der Wohnung im Flur die Schuhe auszuziehen und in bereitstehende, bequeme Pantoffeln zu schlüpfen (eine Sitte, die ich, wenn möglich, sofort in Europa einführen würde). Die Gastgeber werden ihre Gäste mit Händeschütteln begrüßen, weil sich herumgesprochen hat, daß dies unter Europäern, besonders unter Deutschen, so üblich ist und weil sich diese Gewohnheit selbst in Japan allmählich ausbreitet.

Ansonsten wird der anschließende Abend nicht viel anders verlaufen als im Westen. Mit kleinen Einschränkungen. Die Frau des Gastgebers wird sich als wohlerzogene Japanerin aus den Gesprächen weitgehend heraushalten, selbst wenn sie interessante und geistreiche Bemerkungen beizusteuern hätte. Der ausländische Gast sollte mit Komplimenten für die Dame des Hauses sparsam umgehen, und seien sie noch so ehrlich gemeint, denn sich plötzlich im Mittelpunkt zu finden, bringt eine japanische Hausfrau in große Verlegenheit. Was die Gesprächsthmen betrifft, so tragen provokative oder gar kontroverse Probleme nicht unbedingt zur Belebung des Abends bei. Man widerspricht in Japan selbst dann einem Gast nicht, wenn der ziemlich dummes Zeug redet. Den Japanern erscheint der harmonische Verlauf eines geselligen Beisammenseins wichtiger als eine Diskussion, wer nun der bestechlichste Politiker oder welches nun das preiswerteste Auto sei. Natürlich gehört es sich, der Gastgeberin eine kleine Aufmerksamkeit mitzubringen, doch was immer das sei, ob Blumen oder eine Erinnerung an Europa, das Gastgeschenk sollte nie aus vier Teilen bestehen. Die Zahl vier (*shi*) klingt im Japanischen genauso wie das Wort für Tod und bringt nach Überzeugung vieler Leute Unglück.

Sicher sind Kinder im Haus. Es lohnt sich, aus der Nähe zu beobachten, wie liebevoll und geduldig japanische Eltern mit ihren Kindern umgehen. Nie wird man erleben, daß japanische Mütter ihre Kinder anbrüllen, daß Väter gar Ohrfeigen austeilen. Mögen die Kinder noch so herumtoben und die Erwachsenen stören und belästigen, mit nicht endender Freundlichkeit werden die Eltern ihnen zureden und sie um Rücksichtnahme und Zurückhaltung bitten. Erst in Japan habe ich richtig begriffen, wie ruppig, ja kinderfeindlich viele meiner Landsleute sind. Das Argument, nur strenge Zucht könne aus Kindern ordentliche Erwachsene machen – in Japan wird es widerlegt. Denn, so paradox das klingen mag, auch die Erwachsenen gehen in Japan behutsamer und geräuschloser miteinander um. Selbst wer jahrelang in Japan wohnt, wird es nie erleben, daß sich zwei Autofahrer beschimpfen, sich Ehepaare lautstark, gar noch in Anwesenheit Dritter, streiten. Wie, so fragt sich mancher Fremde, werden ohne Erziehung in Japan aus Kindern friedliche und zufriedene Erwachsene?

Diese Frage ist natürlich falsch gestellt, denn auch japanische Kinder werden erzogen, nur eben anders. Solange es irgend geht, tragen viele Mütter die Neugeborenen auf dem Rücken mit sich herum, bei der Hausarbeit, beim Einkaufen. Im Gegensatz zum Erziehungsideal vieler Eltern im Westen, wonach die Kinder möglichst früh an Selbständigkeit und Unabhängigkeit gewöhnt werden sollen – dazu gehört auch, daß man sie frühzeitig allein in einem eigenen Zimmer unterbringt –, halten japanische Mütter mit ihren Kindern so lange wie möglich engsten körperlichen Kontakt und vermitteln ihnen auf diese Weise ein Gefühl für Geborgenheit und Schutz. Das Bewußtsein, zusammenzugehören, auch später in anderen Gruppen, stärkt die meisten Japaner im Leben mehr als die Überzeugung, daß man auf eigenen Beinen stehen und sich gegen die Umwelt durchsetzen solle.

In ihrer Jugend dürfen sich Japaner, je jünger desto toller, austoben. Dann, im Kindergarten und in der Schule, beginnt langsam die Gewöhnung an die Gemeinschaft. Exemplarisch erfahren sie hier, daß diejenigen das größte Lob ernten, die sich einfügen, die sich an die Spielregeln halten, die mitmachen. Nicht abstrakte Rechte und Pflichten, Tugenden und Sünden, werden den Kindern eingebleut, sondern die Erziehung hat das praktische Ziel, miteinander zurechtzukommen, sich zu vertragen. Kein Lehrer, kein Priester, kein Politiker, der nicht Harmonie als soziales Ideal predigen würde. Besser, man steckt zurück, selbst wenn man im Recht ist, als daß man durch Rechthaberei den sozialen Frieden stört. Deshalb zeigt in Japan kein Autofahrer dem anderen einen »Vogel«. Deshalb werden in keinem anderen Staat weniger Prozesse geführt. Was hilft es, sich durch ein Urteil Recht zu erkämpfen, zugleich aber dadurch die Bande zu Mitmenschen zu zerschneiden, mit denen man schließlich doch zusammenleben muß.

Je älter die Kinder werden, desto deutlicher spüren sie, wo die Grenzen gezogen sind. Und da diese Grenzen, wenn man erst einmal ins Berufsleben, in die Firma eintritt, nur noch sehr wenig individuellen Freiheitsraum lassen, gönnen die Erwachsenen den Kleinen die kurzen Jahre der Unbekümmertheit. In der Toleranz gegenüber den Kindern schwingt sicher auch ein bißchen Traurigkeit mit, das Wissen, wie rasch diese Jahre der Ausgelassenheit schließlich verfliegen.

Oft leben in der Wohnung eines jüngeren Ehepaares auch noch der Vater oder die Mutter mit, vor allem, wenn einer der beiden Elternteile bereits verstorben ist. Aber auch in Japan, vor allem in den Millionenstädten, gibt es viel Alterseinsamkeit. Die kommunalen Altersheime reichen nicht aus, und teure private Pflegeheime können sich nur wenige leisten. Auch die Japaner zahlen einen hohen Preis für die Verstädterung, für die Abwanderung der Jugend aus den Dörfern. Trotzdem gilt es noch immer weitgehend als Selbstverständlichkeit, daß sich die nachkommende Generation für die Alten verantwortlich fühlt. Noch immer verbringt mehr als die Hälfte aller Japaner ihre alten Tage bei den Kindern.

Glück hat, wer in ein traditionelles japanisches Haus eingeladen wird, das fast nur aus Holz und aus mit Papier bespannten Schiebetüren besteht; wo sich die Hauswand zum Garten zur Seite schieben läßt und Natur und Wohnung eins werden; wo man auf Reisstrohmatten auf dem Fußboden sitzt, vielleicht bei einer Teezeremonie, oder auch ganz einfach nur, um bei ein paar Happen kunstvoll arrangierten rohen Fisches oder meisterhaft geformter Süßigkeiten die Zeit zu genießen und zu verträumen. Von der Raffinesse, die sich hinter der Schlichtheit eines japanischen Hauses verbirgt, ahnen die wenigsten Besucher. Wem fällt schon auf, daß das Feuer, auf dem das Wasser für die Teezeremonie gekocht wird, weiß-schwarz-rot abgestimmt ist, indem die Feuerstelle mit weißer und schwarzer Holzkohle bestückt wird, aus deren Zentrum dann die rote Flamme schießt. Wer ahnt, daß Japaner die verschiedensten Geräusche von kochendem Teewasser unterscheiden, vom ersten perlenden Sieden bis zum sprudelnden Brausen – und daß sie für all diese Wassergeräusche verschiedene Namen haben? Wer bemerkt schon, daß die Utensilien zur Teezeremonie in ihren Mustern und Farben auf die Jahreszeit abgestimmt sind, die der Gast im Garten vor sich genießt, daß der Eingang zu den Teehäuschen oder Teezimmern meist so niedrig gehalten ist, daß man den Raum nur kriechenddemütig betreten kann, was selbstverständlich gewollt ist.

Ein Ausländer kann da vieles falsch machen, sicher ungewollt, doch sollte sich deswegen niemand aus der Ruhe bringen lassen. Am besten, man läßt alles entspannt und gelassen über sich ergehen. Die Japaner sind hilfsbereite Gastgeber, sie wollen vor allem, daß der Besuch sich wohl fühlt. Wer als Gast nicht weiter weiß, sollte unbekümmert und freundlich fragen. Jeder Gastgeber in der ganzen Welt rechnet damit, daß Ausländer nicht alle Gepflogenheiten kennen können, folglich wird niemand ratsuchende Fragen übelnehmen.

Eine Teezeremonie muß man keineswegs über sich ergehen lassen wie ein sakrales Ritual, es darf geplaudert, wenn auch nicht geschwätzt werden. Und es ist kein Verstoß gegen die Regeln, die Teekeramik oder die blutroten Ahornblätter im Garten zu bewundern, – oder sich zu erkundigen, ob man die bereitliegenden Süßigkeiten vor oder nach dem Teegenuß zu sich nehmen sollte. (Antwort: vorher, damit der herbe und bittere Geschmack des schaumig geschlagenen grünen Tees die Zunge um so stärker anregt.)

Wenn Ihnen, verehrte Besucher, die Gastgeber nach Ihrer Ankunft zunächst das Ofuro, also ein heißes Bad, zur Entspannung anbieten und Ihnen dort schon einen bequemen Sommerkimono bereit gelegt haben, machen Sie ruhig davon Gebrauch. Und wenn man Ihnen zum Sitzen auf dem Boden mehrere Lagen dünner Kissen unterschiebt, damit Sie sich nicht ganz auf ebener Erde niederlassen müssen, dann zieren Sie sich nicht, Ihre ungeübten Bein- und Rückenmuskeln werden es Ihnen danken.

Einen kleinen Rat sollten Sie unbedingt beherzigen: Bevor Sie in einem japanischen Haus eine Toilette, also einen »unreinen« Raum, betreten, müssen Sie die Pantoffeln ausziehen, in denen Sie sich durch die übrige Wohnung bewegen, und in vor der Toilette bereitstehende besondere Pantoffeln schlüpfen. In japanischen Toiletten läßt man sich hockend über dem im Boden eingelassenen Porzellanbecken nieder, mit dem Gesicht zur Wand, was sich aus der Installation des Hebels der Wasserspülung von selbst ergibt und nur deswegen an dieser Stelle erwähnt wird, weil man auf einer europäischen Sitztoilette bekanntlich den Rücken zur Wand kehrt. Über Japaner, die mit europäischen Toiletten nicht zurechtkommen, haben schon viele Ausländer gelacht. Bestimmt könnten die Japaner ähnlich komische Geschichten über uns erzählen. Und vergessen Sie anschließend nie – wirklich nie! –, die Toilettenpantoffeln wieder abzustreifen, bevor Sie in die Wohnräume zurückkehren.

Bitte befolgen Sie noch einen zweiten Rat: Seien Sie pünktlich. Wenn Japaner Verabredungen treffen, meinen sie die Zeit auf die Sekunde genau. Nach der Pünktlichkeit eines Japaners kann man seine Uhr stellen. Wenn Japaner zehn Minuten nach einem verabredeten Termin nicht eingetroffen sind, muß man davon ausgehen, daß sie überhaupt nicht mehr erscheinen werden, daß sich irgend etwas Unvorhersehbares ereignet hat.

Buddhistischer Mönch

Als in der zweiten Hälfte des vorigen Jahrhunderts die ersten Eisenbahnen in Japan gebaut wurden, passierte bei einer Streckeneinweihung eine schreckliche Panne: der Zug traf zehn Minuten vor der geplanten Zeit ein, noch bevor das Empfangskomitee korrekt Aufstellung genommen hatte. Der Lokomotivführer, der es zu gut gemeint hatte, wurde diese Schande sein Leben lang nicht mehr los. Wer als Ausländer zu einem Termin mit Japanern zu spät kommt, dokumentiert damit in der Vorstellung der Japaner, daß ihm an dem Treffen nicht viel liegt. Die sprichwörtliche Pünktlichkeit und Zuverlässigkeit gilt übrigens auch, das sei besonders angemerkt, für japanische Handwerker.

Wer jedoch die Einladung einer traditionell lebenden japanischen Familie aus Unsicherheit über sein Verhalten absagt, begeht einen großen Fehler: Er bringt sich um die Gelegenheit, noch einmal das alte Japan zu erleben.

Die Japanerin

Wie stellen sich die Männer in Ostasien den Himmel auf Erden vor? Die Antwort auf diese Scherzfrage bestätigt gleich mehrere Vorurteile: Zum irdischen Glück gehören ein chinesischer Koch, das Geld eines Ölscheichs, ein koreanischer Leibwächter, eine deutsche Luxuslimousine – und eine japanische Frau.

So lebt sie in den Vorstellungen vieler Männer nicht nur asiatischer Herkunft, höflich und bescheiden bis zur Selbstverleugnung, dem Gatten treu ergeben, kinderlieb und opferbereit, an alle und alles denkend, nur nicht an sich selbst. Doch was ist an diesem Bild richtig und was falsch?

Wer als Gast eine japanische Wohnung betritt, dem kann es noch heute passieren, daß ihn die Gastgeberin auf dem Boden kniend im Flur empfängt, um ihm die Schuhe auszuziehen und gegen bequeme Pantoffeln zu vertauschen. Auch gibt es sicher noch zahlreiche japanische Männer der älteren Generation, die spät abends nach der Rückkehr von der Arbeit genau diesen Service von ihrer Frau erwarten. Wurzelt also das Traumbild nicht doch in der Wirklichkeit? Oder ähneln in Japan die Beziehungen zwischen den Geschlechtern, insbesondere zwischen den Ehegatten, trotz oberflächlicher Unterschiede in Wahrheit den Verhältnissen bei uns?

Sozialer Status, Erziehung, Lebensalter, städtische und ländliche Umwelt bedingen auch in Japan vielfache Unterschiede, doch läßt sich verallgemeinern, daß, ausgeprägter als bei uns, viele japanische Frauen die Erfüllung ihres Lebens in der Familie, innerhalb der eigenen vier Wände finden, während die Außenwelt, vor allem der Beruf, das Geldverdienen, die Firma, als die Domäne der Männer gilt.

Millionen japanischer Männer verlassen morgens zeitig die Wohnung, denn der Weg mit der Bahn, der U-Bahn oder dem Bus in die Firma dauert oft stundenlang. Auf den langen Arbeitstag folgt am Abend zuerst die Entspannung im Kreise der Kollegen in der nahen Bar. Dann kommen sie spät und müde nach Hause, meist wenn die kleinen Kinder schon schlafen. Dieser Rhythmus bürdet den Frauen eine schwere Last auf, denn die Hauptverantwortung für die Erziehung der Kinder ruht damit auf ihren Schultern. Psychologen meinen, Japans Männer seien viel stärker als die Männer anderer Völker auf ihre Mütter fixiert und erwarteten daher auch später von ihren Frauen eher mütterliche Fürsorge als eheliche Partnerschaft.

Als Folge der unterschiedlichen Wege, die Mann und Frau im Alltag gehen, bleibt nur wenig Gelegenheit zum gemeinsamen Gespräch, zum vertrauten und vertraulichen Dialog, zu jener engen Verbundenheit, die aus einer Zweisamkeit »ein Herz und eine Seele« macht. Viele japanische Männer besprechen ihre Probleme lieber mit den Firmenkollegen, mit denen sie oft lebenslang zusammenarbeiten. Viele Frauen finden deshalb ihre Erfüllung nicht so sehr im Dasein für den Partner, sondern im Aufziehen und Bemuttern der Kinder. In den Elternvereinen und in der wachsenden Zahl kommunaler Organisationen sind deshalb besonders die Frauen aktiv. Wenn ein Mann dann plötzlich aus beruflichen oder aus gesundheitlichen Gründen längere Zeit zu Hause bleiben muß, gerät die traditionelle Ordnung ins Wanken. Ein Sprichwort sagt, am besten wäre es, wenn der Mann gesund und nicht zu Hause wäre.

Diese unterschiedlichen Lebens- und Erfahrungswelten sollten in Japan lebende Ausländer nie aus den Augen verlieren. Auf manchen weltoffenen und sprachenkundigen japanischen Manager wartet zu Hause eine Frau, die, mangels eigener Erfahrungen, Kontakte zu Ausländern scheut, aus der Furcht, sich zu blamieren. Wer als Ausländer in Japan abends Japaner einlädt, nach Hause oder in ein Lokal, sollte sich vorher erkundigen, ob es dem Gast eine Freude bereitet oder ihn in Verlegenheit bringt, wenn er ihn bittet, seine Frau mitzubringen. Zumeist werden die Japaner gerne möglichst früh zu einem geselligen Treffen kommen, am besten gleich nach Feierabend und am liebsten allein. Selbst in den Vergnügungsvierteln der japanischen Millionenstädte gehen bald nach neun Uhr, wenn sich die meisten Männer auf die langen Heimwege machen, die Lampen aus. Wer dagegen Ausländer zu Gast bittet, wählt in der Regel eine späte Stunde, weil die Männer oft aus dem Büro zunächst nach Hause fahren, um ihre Frauen abzuholen.

Japans Männern ist klar, daß die Pflichten in den Familien ungleich verteilt sind und daß sie selbst das bessere Los gezogen haben. Vielleicht liegt es an ihrem schlechten Gewissen, daß sie ihren Frauen die Verantwortung für die Familienfinanzen überlassen. Noch ist es üblich, daß ein Mann seine Lohn- oder Gehaltstüte ungeöffnet der Ehefrau übergibt und sich von ihr ein Taschengeld auszahlen läßt. Scherzhaft sprechen die Männer von ihrer Frau oft als dem »*okuradaijin*«, ihrem Finanzminister.

Ein Leben ohne Familie können sich die meisten Japanerinnen und Japaner nicht vorstellen. Während in Europa etwa jeder zehnte Erwachsene unverheiratet bleibt und die Ehe als Institution in die Diskussion geraten ist, verzichtet in Japan nur jeder Fünfzigste auf eine Heirat, fast immer unfreiwillig.

Die jungen Damen aus wohlhabenderen Kreisen werden zur Universität geschickt, nicht um einen Beruf zu erlernen, der ihnen Sicherheit in den Fährnissen des Lebens bieten soll, sondern um sich zur gebildeten Hausfrau erziehen zu lassen und in der Hoffnung, dort den passenden Ehemann zu finden. *Tanki daigaku*, kurz *tandai*, heißen die beliebten, meist zweijährigen Kurzstudiengänge, die vor allem Kurse in Hauswirtschaft, Erziehung, Kunst und Kultur einschließen und damit auf die Ehe vorbereiten. Eine Frau, die ernsthaft an einer der großen Universitäten ein Fachstudium betreibt und dort gar einen akademischen Titel erwirbt, mindert ihre Heiratschancen und muß überdies damit rechnen, daß ihr die Wirtschaft danach eine angemessene Position verweigert. Nur selten wird eine Frau mit Universitätsbildung Einkünfte erzielen, die Männern mit gleicher Ausbildung anstandslos zugebilligt werden. Und mag es auf den Hochzeiten noch so modern und westlich zugehen – ein Drittel bis die Hälfte aller Ehen in Japan kommen noch immer unter Einschaltung einer Vermittlerin oder eines Vermittlers zustande (*miai kekkon*), wobei die Brautleute zwar nicht mehr ungefragt zur Ehe gezwungen werden, aber doch sichergestellt ist, daß die beteiligten Familien und die betroffenen Vermögen und Interessen gut zusammenpassen. Aus den Statistiken geht nicht hervor, daß solche Vernunftehen scheidungsanfälliger wären als die Liebesheiraten.

Rechtlich gesehen sind Japans Frauen den Männern heutzutage praktisch gleichgestellt (nur bei Scheidungen werden sie fast immer noch benachteiligt), doch verdanken sie diesen Fortschritt weder ihren eigenen Anstrengungen noch der Einsicht der japanischen Männer, sondern der amerikanischen Besatzungsmacht, die 1945 als eine der Reformen zur Demokratisierung des Landes die Gleichberechtigung von Mann und Frau verfügte, sodann den Frauen ebenso wie den Männern das aktive und passive Wahlrecht zusprach und schließlich dafür sorgte, daß diese Rechte auch in Japans neuer Verfassung von 1947 verankert wurden. Nur zögernd lernen Japans Frauen, mit diesen neuen Rechten umzugehen, doch langsam wird ihnen ihre Macht bewußt. Als vor einigen Jahren eine große Nudelfirma in einem Fernseh-Werbespot die Frauen sagen ließ, »Wir kochen die Nudeln«, worauf die Männer antworteten, »Und wir essen sie«, bewirkte ein Kaufboykott der Frauen, daß der Produzent rasch auf diese rollentypische Werbung verzichten und sich öffentlich entschuldigen mußte.

Am hartnäckigsten hält sich die Diskriminierung der Frauen nach wie vor in der Großindustrie. Gefragt sind dort junge Arbeiterinnen, die für billiges Geld die anspruchslosen, geisttötenden Arbeiten verrichten und spätestens mit 25 Jahren heiraten und damit aus der Firma ausscheiden, bevor Berufsjahre und erworbene Qualifikationen sie zu höheren Löhnen berechtigen. Unter allen entwickelten kapitalistischen Industriestaaten zahlt Japan die niedrigsten Frauenlöhne. Die von den Männern beherrschten Gewerkschaften nehmen diese Benachteiligung hin, und auch die meisten Frauen lehnen sich nicht dagegen auf, da sie – wie oben ausgeführt – ihr Glück in der Familie suchen und die Fabrikarbeit nur als Übergangsphase auf dem Weg in die Ehe betrachten.

Wer in Japans Industriezentren ausländische Firmen oder Banken besucht, wird in den Vorzimmern der europäischen und amerikanischen Manager fast immer auch ausländische Sekretärinnen finden. Westliche Chefs erwarten von ihren Bürodamen Eigeninitiative, Mitdenken und Selbstverantwortung. Japanische Sekretärinnen tun sich in den Vorzimmern von Ausländern schwer, denn in den japanischen Betrieben werden sie zum Dienen erzogen, zur Anpassung, zur Ausführung präziser Anweisungen.

Immerhin, auch in Japan steht die Zeit nicht still, und das Selbstvertrauen der Frauen wächst, seitdem sie im Zweiten Weltkrieg, als die Männer in der Ferne kämpften, nicht nur für die Familien sorgten, sondern auch mithalfen, die Wirtschaft in Gang zu halten. Und da sich auch in Japan die Kleinfamilie ausbreitet, drängen viele ältere Frauen, nachdem die Kinder erwachsen sind, ins Berufsleben zurück, nicht aus finanzieller Not, sondern weil sie sich noch jung genug zu einem neuen Anfang fühlen. Japanerinnen haben die höchste Lebenserwartung unter allen Frauen der Welt.

Einige wenige Japanerinnen haben sich ganz nach oben durchgekämpft, die Modeschöpferin Hanae Mori zum Beispiel oder Junko Tabei, die 1975 als erste Frau der Welt den Mount Everest bestieg. Als erste politische Partei Japans wählten die Sozialisten eine Frau, Takako Doi, zu ihrer Vorsitzenden. Und Japans Kaiserhaus führt seine Ahnenreihe auf Amaterasu zurück, die legendäre Sonnengöttin, also ein weibliches Wesen.

Wenn es dunkel wird

Tokio bei Nacht enttäuscht selbst die verwöhntesten Weltenbummler nicht. Luxusrestaurants und Eckkneipen, Bars mit und ohne Hostessen, Cabarets mit frechen Shows, futuristische Discos, klassische Theater und Experimentalbühnen, Konzerte und natürlich die berühmten Geishahäuser. In Tokio fällt es nicht schwer, jeden Wunsch zu erfüllen, sondern allein, die richtige Wahl zu treffen. Wie überall in der Welt bieten diejenigen Vergnügungsstätten, die am meisten Reklame treiben, meist am wenigsten Lokalkolorit und statt dessen die höchsten Preise. Am besten, man läßt sich von japanischen Bekannten beraten.

In ein echtes Geishahaus wird man ohnehin nur in der Begleitung bereits eingeführter Japaner eingelassen. Denn allen sich hartnäckig haltenden westlichen Vorurteilen zum Trotz ist ein Geishahaus eine ziemlich seriöse Institution. Echte Geishas (das Wort bedeutet Kunst-Person, also Künstlerin) haben eine jahrelange Ausbildung in klassischem Tanz, Gesang und in Unterhaltungsspielen hinter sich, befinden sich meist an der Grenze zum reiferen Alter und sind, alles in allem, das ziemliche Gegenteil von puppigen Glamour-Girls. Männer älterer Jahrgänge besuchen gerne zusammen ein Geishahaus, wo sie, verwöhnt, unterhalten und abgelenkt, die Frustrationen und Spannungen der nüchternen Welt wirtschaftlicher Konkurrenzkämpfe und familiärer Belastungen vergessen können. Wenn es dann, keineswegs zwangsläufig, nicht beim Tanzen und Singen bleibt, so kennen sich die Beteiligten doch oft seit Jahren, und für so manchen wohlhabenden japanischen Geschäftsmann spielt eine Geisha eine ähnliche Rolle wie die ständige Freundin seines wohlverheirateten europäischen Geschäftspartners.

Mit der eigenen Frau kann man nicht nur die Freuden des Lebens teilen, zu Hause wird man nicht nur verwöhnt und umsorgt. In den eigenen vier Wänden warten auf den abgekämpften Geschäftsmann auch die Alltagsprobleme, die Aufmerksamkeit verlangenden Kinder, finanzielle Sorgen, Ärger mit den Nachbarn; da gilt es zu entscheiden, zu schlichten, zu bedenken, zu tadeln, und letztlich möchten Frau und Kinder vom Ehemann und Vater ebenfalls verwöhnt, geliebt, gelobt und umsorgt werden.

Bei einer Geisha dagegen erwarten den Mann nur die Sonnenseiten des Lebens. Sie unterhält ihn mit Spielchen und Spielereien, die keiner Anstrengungen bedürfen, hier hat er immer recht, hier findet er sich immer bestätigt, verstanden, geliebt und bemuttert. Alles Lästige und Mühsame bleibt fern. Eine gute Geisha vereinigt in sich die Rollen von Freundin,

Ehefrau und Mutter und spielt von jeder dieser Rollen nur den angenehmsten Teil. Deshalb versteht sich, daß ein wohlhabender Geschäftsmann die langjährige Bindung an eine Geisha auch entsprechend honoriert, indem er sie beispielsweise so ausstattet, daß sie später einmal ein eigenes Restaurant eröffnen kann – oder ein eigenes Geishahaus.

Diese Beschreibung macht aber auch deutlich, daß ein Ausländer in jene Welt nicht eindringen kann. Geishapartys, zu denen man Freunde führt, gar noch ausländische Geschäftspartner zusammen mit deren Ehefrauen, lassen kaum einen Blick auf die Oberfläche zu.

So mancher verheiratete europäische Geschäftsmann mag sich an eine feste Freundin aus einem ähnlichen Grundbedürfnis heraus binden, doch keine westlich erzogene Frau wird einem Mann so weit entgegenkommen wie eine Geisha, ihn füttern und ihm vorsingen, ihm die müden Glieder massieren, ihm zuhören und ihm nie widersprechen.

Das Verhältnis eines wohlhabenden Japaners zu einer Geisha ist auf Dauer angelegt. Nur wenige ältere Japaner können sich diesen Luxus noch leisten. Wer als Ausländer in Japan auf erotische Entdeckungsreisen gehen will, macht seine Eroberungen eher unter den Hostessen der modernen Nachtclubs.

Japans Männer waren den sinnlichen Freuden des Lebens immer zugetan, was bis auf die Fruchtbarkeitsriten des Schintoismus zurückgeht. Noch heute werden bei Festen auf dem Land übergroße Phallussymbole in Umzügen durch Dörfer und Felder getragen. Nacktheit war für die Japaner immer ein ganz natürlicher Zustand, bis mit den Amerikanern und den Europäern, richtiger gesagt mit den Christen, die Vorstellung von der Sünde ins Land kam. Wirklich umerzogen haben die Missionare allerdings die Japaner nicht. Statt dessen gelang es ihnen, dem Land eine öffentliche Moral überzustülpen, die wie ein Schleier die Realität verdeckt. Nun zeigt sich Japan nach außen hin prüde, mit strengen Zensurbestimmungen, die zur Folge haben, daß in den importierten westlichen Edel-Porno-Magazinen alle Blößen mit dicken schwarzen Balken unkenntlich gemacht werden müssen und daß die Zensoren aus zahlreichen Filmen, die in westlichen Ländern ungehindert laufen, ganze Sequenzen herausschneiden oder verwischen. Das alles führt dazu, daß Pornofilme und die offiziell verbotene Prostitution im Untergrund ein blühendes Geschäft sind. Daß ein hoher Politiker über den Verfall der Moral wettert und gleichzeitig, unter Vernachlässigung seiner Familie, mit seiner Freundin Kinder zeugt, zeigt symptomatisch die zwiespältige moralische Auffassung.

Bis vor kurzem genossen die weitverbreiteten Massagesalons unter dem Sammelbegriff »Türkische Bäder« ihren anrüchigen Ruf. Mit der Türkei haben diese Etablissements nichts zu tun, und um Sauberkeit geht es dort auch nur unter anderem. Normalerweise verdienen die Häuser, weitgehend von japanischen Gangsterorganisationen beherrscht, ihr Geld durch Vollmassagen, wobei zusätzliche Dienste nicht ausgeschlossen sind. Der Einfallsreichtum der Unternehmer bringt ständig neue Variationen hervor, von der Zwei-Damen-Bedienung bis zum »Turco«, das sich als Kloster vorstellte und in dem die Damen – anfangs – als buddhistische Nonnen erschienen. Der schlechte Geschmack kennt keine Grenzen.

Doch noch peinlicher wurde es, als immer wieder ausländische Besucher auf der Suche nach der türkischen Botschaft in Tokio von Taxifahrern vor Massagesalons abgesetzt wurden. Als sich eines der Häuser unbefangen »Turco Taishikan« = Türkische Botschaft nannte, mußte eines Tages sogar das Außenministerium eingreifen. Endlich fand ein vaterlandstreuer junger Türke mit seiner Ein-Mann-Kampagne für einen Namenswechsel in der immer um das Ansehen Japans in der Welt besorgten japanischen Presse und im Fernsehen Verständnis und Unterstützung, worauf der Berufsverband der »Sonderbad«-Betreiber seinen Mitgliedern einen Namenswechsel empfahl. Neuerdings nennen sich die Einseif-Paradiese »Soapland«, und die dort tätigen Damen schmücken sich nun mit der Berufsbezeichnung »Soaplady«.

Moralischer geht es wiederum in den »Love Hotels« zu, die in allen Vergnügungszentren und an den Ausfallstraßen der Großstädte schon von weitem an ihren bizarren, schloßähnlichen Türmchen und an ihren verdeckten Eingängen zu erkennen sind und deren Service aus phantasiereich dekorierten Zimmern und aus Diskretion besteht. Hier finden sich oft junge Paare ein, die über keine »sturmfreie Bude« verfügen, oder auch Männer mit ihrer »ständigen Begleiterin«. Selbst Ehepaare genießen gelegentlich in den Love Hotels jene ungestörte Traulichkeit, die sie zu Hause unter den Kindern in der viel zu engen Wohnung nicht finden. Den Love-Hotel-Besitzern fehlt es nicht an Phantasie. Videogeräte für Pornofilme, Video-Aufzeichnungsgeräte mit sofortiger Abspielmöglichkeit (wobei sich nach Mitteilung der Geschäftsleitung die Bänder beim Verlassen des Zimmers automatisch löschen sollen), Zimmer im klassisch japanischen Stil oder als Weltraumstationen, immer verbunden mit einem bequemen großen Bad, Himmelbetten, Wasserbetten – die Vielfalt ist kaum zu überblicken. Bei den parkenden Autos wird derweil das Nummernschild abgedeckt.

Ein Love Hotel geriet in die Presse, weil es sich »Queen Elizabeth« nannte. In einem der Luxusräume stand ein Doppelbett als Krönungskutsche. Doch äußerlich war das Gebäude wie ein Schiffsrumpf konstruiert, und die Eigentümer versicherten, sie hätten nur an den Ozeandampfer gedacht. Im Gegensatz zu den Türken ließen die Briten gelassen den Fall auf sich beruhen.

Wie man ohne Japanisch zurechtkommt

Japanisch ist schwer. Da gibt es die Geschichte von einem jungen Ausländer, der jahrelang auf seiner heimatlichen Universität die Sprache dieses Landes studiert hatte und der nun zu einer Familie nach Japan gekommen war, um zur Theorie noch die praktische Geläufigkeit zu erwerben. Ein paar Wochen nach seiner Ankunft beschloß die Familie, für einige Tage zu verreisen und ihn solange das Haus hüten zu lassen. Der junge Gast kam gut zurecht, beantwortete Telefonanrufe und fertigte an der Haustür klingelnde Händler ab. Ein paar Tage, nachdem die japanische Familie wieder zurückgekehrt war, sprach ihn die Hausfrau nach einem Einkaufsbummel an: »Vorhin habe ich eine Freundin getroffen, die sagte, sie hätte gar nicht gewußt, daß wir verreisen wollten. Als sie neulich anrief, sei plötzlich ein fremder Japaner am Telefon gewesen.« Bei diesen Worten leuchteten die Augen des Studenten auf. Er hatte es geschafft, man hatte ihn für einen Japaner gehalten. »Ja, und dann meinte meine Freundin noch«, fügte die Hausfrau hinzu, »das müsse wohl ein geisteskranker Japaner gewesen sein.«

Die Schwierigkeiten beginnen schon mit der Schrift. Da die Japaner in ihrer frühen Vergangenheit keine eigene Schrift hervorbrachten, übernahmen sie vor über tausend Jahren die chinesischen Zeichen, die jeweils Inhalte, also keine Lautfolgen ausdrücken. Weil aber die japanische Sprache völlig anders aufgebaut ist als die chinesische und weil das Japanische zahlreiche dem Chinesischen unbekannte Endungen und verbindende Partikel enthält, mußten sie zur Ergänzung zwei eigene Silbenalphabete entwickeln, so daß die japanische Schrift aus einer Mischung von chinesischen Zeichen und japanischen Silben besteht. Daneben übernahmen sie mit vielen chinesischen Zeichen auch deren chinesische Aussprache (die sie allerdings ihrer eigenen Sprachmelodik anpaßten), behielten aber außerdem die alten japanischen Bezeichnungen bei. Ob zum Beispiel das Wort Berg als *yama* oder *san* ausgesprochen wird, ergibt sich aus dem Sprachgebrauch, ist jedoch dem Schriftzeichen für Berg nicht anzusehen. Das führt dazu, daß viele Japaner auf den unverzichtbaren Visitenkarten neben den Schriftzeichen ihres Namens in Silbenschrift die Aussprache dazu vermerken müssen, weil jeder zwar die Bedeutung der Zeichen versteht, aber nicht immer wissen kann, wie sie ausgesprochen werden.

An sich könnten die Japaner sämtliche (chinesischen) Schriftzeichen abschaffen und alle Worte allein in Silbenschrift formulieren. Damit die Fahrkartencomputer der Eisenbahn nicht mit Tausenden von Schriftzeichen gefüttert werden müssen, drucken sie beispielsweise die Stadt Tokio in einfacher Silbenschrift aus (to-ki-yo-u), obgleich die korrekte Schreibweise aus den beiden Zeichen für Osten und Hauptstadt besteht. Der Schreibunterricht in den Schulen beginnt mit dem Erlernen der Silbenalphabete, mit denen die Kinder dann bereits alles formulieren können, bevor sie auch nur ein einziges Zeichen beherrschen. Trotzdem denkt niemand daran, die Schriftzeichen chinesischen Ursprungs abzuschaffen, weil künftige Generationen dann die gesamte überlieferte Literatur nicht mehr lesen könnten. Japaner sind konservativ in ihrer geistigen Einstellung, ihre Anpassungsfähigkeit in äußeren Dingen täuscht darüber leicht hinweg.

Eine Vielzahl verschiedener Zeichen (und damit Worte) haben häufig dieselbe Aussprache. Erst der Blick auf das Schriftzeichen läßt im Zweifel erkennen, was gemeint ist. Wer aufmerksam hinschaut, sieht gelegentlich, wie ein Japaner im Gespräch mit Landsleuten plötzlich mit einem Finger der rechten Hand in die Handfläche der linken, wie mit Pinselstrichen, ein Zeichen andeutet, oder daß er mit einem abgebrochenen Zweig ein Zeichen in den Straßenstaub malt, um Mißverständnisse aufzuklären.

Die Tücken der japanischen Sprache sind damit noch lange nicht hinreichend beschrieben. Bei Hauptwörtern lassen sich Ein- und Mehrzahl nicht unterscheiden, für Verben gibt es keine Konjugation. *Hon* heißt ebenso das Buch wie die Bücher, und *yomimas* kann alles bedeuten, von: ich lese, über: du liest, bis: sie lesen. Was gemeint ist, ergibt sich erst aus dem Zusammenhang. In diesen kurzen Beispielen wird eine der entscheidenden Besonderheiten der japanischen Sprache deutlich: sie kommt mit Kürzeln aus, wo andere Sprachen ausführliche Präzisierungen erfordern. Denn Japanisch wird von einem Volk gesprochen, das jahrtausendelang ungestört allein vor sich hinlebte; dabei sind die sozialen Spielregeln inzwischen jedem derart in Fleisch und Blut übergegangen, so daß jeder weiß, was gemeint ist, ohne daß es langer Erklärungen bedarf. Als Gegenbeispiel mag das Amerikanische dienen, mit dem sich Menschen verschiedenster geografischer und kultureller Herkunft miteinander verständigen und das deshalb viel stärker zu Ausführlichkeit und Genauigkeit zwingt. In einer wie in Japan aufeinander eingestimmten Gesellschaft bedarf es oft überhaupt keiner Worte. Das Schweigen in einer Tischrunde, das auf Europäer schon nach wenigen Sekunden peinlich wirkt, stört Japaner überhaupt nicht.

Jede Kommunikation steht unter der Pflicht, die soziale Harmonie zu erhalten. Japaner neigen folglich dazu, einem Gast zuzustimmen, auch wenn sie selbst anderer Meinung sein sollten, weil sie der Höflichkeit, der Rücksichtnahme auf einen Gast, einen höheren Wert zumessen als der eigenen Überzeugung. Vor allem meiden sie, wenn es irgend geht, ein klares Nein, weil dieses Wort in ihren Ohren wie ein herabsausendes Fallbeil klingt, das jedes um Ausgleich bemühte Bestreben zerschneidet. Die Kunst eines japanischen Dialogs besteht darin, gar nicht erst eine Situation aufkommen zu lassen, die ein Nein erforderlich macht. Statt dessen deutet man vage an und umschreibt, was dem Partner die Möglichkeit gibt, von sich aus den Faden fortzuspinnen oder die Anregung geflissentlich zu überhören. Ein Büroangestellter, der mit seinem Chef ein persönliches Problem besprechen möchte, wird sich dort nicht einfach anmelden, sondern wahrscheinlich erst einen Kollegen vorschicken, der bei dem Vorgesetzten behutsam klärt, wie dieser reagieren würde. Zeichnet sich eine negative Resonanz ab, wird das Gespräch gar nicht erst stattfinden. Kommt es aber zustande, so weiß jeder der beiden Beteiligten, daß es ein positives Ergebnis haben wird.

In unnachahmlicher Weise lassen sich Höflichkeit und Respekt auf japanisch formulieren. Kaum zu überschauen sind die Abstufungen, die sich aus unterschiedlichen Verben und aus Abwandlungen innerhalb einzelner Verben, aus bestimmten Vorsilben und aus besonderen Hauptwörtern konstruieren lassen. Geradezu plump wirken dagegen europäische Sprachen. Ein wohlerzogener Japaner kommt deshalb auch meist ohne das Wort Ich aus. Schon die Höflichkeitsform – oder ihr Fehlen, wenn man sich selbst meint – läßt erkennen, von wem die Rede ist. Natürlich zeugt es auch von besserem Stil, sich selbst möglichst klein zu machen, als das Gegenüber in den Himmel zu loben.

Bitte verstehen Sie, verehrte Leserinnen und Leser, diese Darlegungen nicht als einen Versuch, Ihnen den Mut abzukaufen. Denn hoffnungslos ist die

Lage von Ausländern in Japan keineswegs. In den großen Hotels, in den Reisebüros, in den großen Firmen und Kaufhäusern, findet sich immer jemand, der Englisch und vielleicht auch Deutsch spricht. Allerdings sollten Sie sich nicht darauf verlassen, daß jeder, der Ihnen versichert, Englisch zu verstehen, dies auch wirklich kann. Bei manchen eifrigen jungen Leuten in der Provinz reduzieren sich nämlich die Sprachkenntnisse gelegentlich auf den Satz: »*Yes, I understand.*«

Normalerweise gehen Japaner davon aus, daß Ausländer kein Japanisch sprechen können. Wie Ausländer trotzdem zurechtkommen, mag folgende Situation demonstrieren: Da steht ein Japaner vor der Haustür einer ausländischen Familie. Weil er nur Japanisch spricht, vermag die Hausfrau nicht festzustellen, ob es sich um den Gasmann, den Zeitungsträger oder einen Autoverkäufer handelt. Also bittet sie den Herrn gestikulierend in die Wohnung, geht zum Telefon, ruft einen mehrsprachigen Japaner an (diese Rolle fällt meistens einem Mitarbeiter im Büro ihres Mannes zu), erläutert den Fall und drückt sodann dem unbekannten Besucher den Hörer in die Hand. Nachdem beide Japaner eine Zeitlang gesprochen haben, läßt sie sich den Hörer wiedergeben und berichten. So geht das hin und her, per Dolmetscher übers Telefon, bis der Fall geklärt ist. Ähnlich läßt sich überall verfahren, wenn man in einem Laden nicht zurechtkommt, beim Zahnarzt, in der Reparaturwerkstatt; ein Telefon findet sich in Japan überall und immer in der Nähe.

Japanische Kinder werden liebevoll umhegt

Und noch ein zweiter Tip hat sich bewährt: Wer sich verlaufen hat oder wer sich in der U-Bahn nicht zurechtfindet oder wer aus anderen Gründen nicht weiter weiß, sollte seine Hilflosigkeit deutlich zeigen, je klarer desto besser. Sogleich wird sich eine Japanerin oder ein Japaner aus der Menge lösen und in holprigem Englisch Hilfe anbieten. In derartigen Fällen darf man in Japan Fremden unbesorgt vertrauen.

Empfehlenswert ist es, sich das Ziel einer Taxifahrt oder den Gegenstand einer Besorgung in Japanisch auf ein Stück Papier schreiben zu lassen, das man dem Fahrer oder einer Verkäuferin unter die Nase halten kann. Das Empfangspersonal aller großen Hotels ist auf diesen Service eingestellt. Allerdings darf man nicht vergessen, sich auch Name und Anschrift des eigenen Hotels für die Rückfahrt notieren zu lassen. Ich wohnte einmal längere Zeit in einem kleinen Hotel in Tokio, das sich »Hilltop« nannte. Es bedurfte jedesmal nervenaufreibender Anstrengungen, Taxifahrer davon abzuhalten, das viel besser bekannte große Hilton anzusteuern, zumal das Hilltop, wie sich leider erst spät herausstellte, in Wahrheit »Yama no ue« hieß und das Wort Hilltop (Bergspitze) nur dessen Übersetzung darstellte. Selbst beim berühmtesten und traditionsreichsten Hotel des Inselstaates, dem Imperial, sind Komplikationen mit Taxifahrern nicht auszuschließen, denn es heißt auf japanisch Tekoku Hoteru, was wiederum fast keiner der ausländischen Gäste weiß.

Das Wort *hoteru* übrigens halten die meisten Japaner für einen rein englischen Ausdruck. Ähnlich wie die japanische Sprache im 7. Jahrhundert chinesische Einflüsse aufsaugte, dringen seit einigen Jahrzehnten immer mehr englische Begriffe ein. Dieser Prozeß ist derart weit fortgeschritten, daß jemand, der ein bißchen Japanisch spricht, dem aber ein bestimmtes Wort aus modernen Lebensbereichen fehlt, sich oft trotzdem verständlich machen kann, indem er den entsprechenden englischen Ausdruck benutzt, zum Beispiel *clutch* für Kupplung, *curtain* für Vorhang, oder *sale* für Ausverkauf. Zuvor müssen alle derartigen Ausdrücke jedoch den japanischen Sprachmöglichkeiten angepaßt werden. Da nun die beiden Alphabete aus Silben bestehen, sowie aus den Vokalen und dem Konsonanten n (und weil es im Japanischen kein l gibt), ist es nicht möglich, zwei Konsonanten aufeinander folgen oder ein Wort auf einen anderen Konsonanten als n enden zu lassen. Ausländer, die nicht nur ein paar Tage in Japan bleiben wollen, sollten den Versuch wagen, zumindest das Katakana-Alphabet zu lernen, in dem die aus fremden Sprachen übernommenen Wörter ausgeschrieben werden. Man schafft das in wenigen Tagen. Dann aber öffnet sich einem plötzlich das Tor zu einer aufregend neuen Welt. *Kurisumasu* kann man nun buchstabieren und unschwer als *christmas* erkennen, die Kupplung wird zu *kurachi*, der Vorhang zu *kaaten* und das Hotel zu *hoteru*. Fortgeschrittene entschlüsseln sogar *paama* als die Abkürzung für *permanent wave* (Dauerwelle), *rafu* als *love* und *berurin* als Deutschlands größte Stadt.

Aus dem Deutschen haben die Japaner neben zahlreichen medizinischen Ausdrücken das Wort *arubaito* (Arbeit) übernommen, das die Nebentätigkeit von Studenten umschreibt und das auch Schlüsse zuläßt, was sie zumindest früher einmal von uns gehalten haben.

Hilfreich ist es selbstverständlich auch, wenn man auf japanisch zählen kann. Anfänger sollten sich nicht abschrecken lassen, daß es leider mehrere völlig verschiedene Zählarten gibt, je nachdem ob man Geld oder Tiere oder lange runde Gegenstände oder formlose Sachen oder Autos usw. zählt. Mit den zwei gebräuchlichsten Zählarten kommt man schon ziemlich weit, selbst wenn deren Anwendung nicht immer korrekt sein sollte. Zumindest wird man verstanden.

Visitenkarten machen Leute

Lassen Sie sich unbedingt Visitenkarten drucken, auf der einen Seite in Deutsch oder Englisch, auf der anderen in Japanisch. Das ist gleich nach Ihrer Ankunft möglich. Wer meint, er käme ohne Visitenkarten aus, bei der Anknüpfung von Geschäftsbeziehungen oder gar bei längerem Aufenthalt im Lande, der kann auch gleich beim Nadelstreifenanzug auf die Krawatte verzichten. In Japan machen Visitenkarten Leute.

Der Austausch von Visitenkarten erleichtert nämlich nicht nur, all die zahlreichen Menschen auseinanderzuhalten, denen man zum ersten Mal begegnet, er ermöglicht den Japanern zugleich die hierarchische Einordnung eines Fremden. Japans Gesellschaftsordnung ist keineswegs egalitär, was sich bereits in der japanischen Sprache zeigt. Doch da kaum ein Ausländer Japanisch versteht, bleibt vielen diese folgenreiche Tatsache verborgen.

Ob es sich um gesellschaftlich Höherstehende, Gleichrangige oder Untergebene handelt, um Nahestehende oder lose Bekannte, um Ältere oder Jüngere, Männer, Frauen oder Kinder, Professoren oder

Handwerker, jeder nimmt in der Sozialordnung einen bestimmten Platz ein und hat damit Anspruch auf bestimmte Anrede- und Höflichkeitsformen. Europäer machen sich kaum eine Vorstellung von der Vielzahl der Bezeichnungen, Verben und grammatikalischen Konstruktionen, mit denen Japaner subtile soziale Abstufungen und Differenzierungen auszudrücken vermögen. Tritt ihnen nun ein völlig Fremder entgegen, wissen sie meist nicht, wie sie mit ihm umgehen sollen, ja selbst die Anrede kann zweifelhaft sein, wenn man seinen Status nicht kennt. Wählt man zu höfliche Formeln, könnte das lächerlich wirken, greift man zu tief, sind Verletzungen nicht auszuschließen. Deshalb erfüllen Visitenkarten im Umgang von Japanern untereinander einen außerordentlich nützlichen Zweck, verraten sie doch, ob einer Abteilungsleiter in einer kleinen oder einer weltberühmten Firma ist, ob er als Lehrer oder Professor in einer mittelmäßigen oder erstklassigen Universität unterrichtet, ob er Fische verkauft oder Fahrkarten knipst. Und damit ist dann auch klar, wie ein solcher Gast zu plazieren ist, welche Anrede ihm zukommt, wieviel Respekt ihm gebührt. Visitenkarten erleichtern also in erster Linie den Verkehr von Japanern untereinander. Sie wurden keineswegs für die Kontakte zu Ausländern erfunden, doch erfüllen sie mittlerweile gegenüber Besuchern aus Übersee dieselbe nützliche Funktion.

Visitenkarten müssen also sein. Und vergessen Sie Titel und Berufsbezeichnung nicht!

Behörden und Bürger

Wer nicht gerade mit einer Reisegruppe Japan durcheilt, bekommt es irgendwann mit der Bürokratie zu tun, vielleicht weil das Touristenvisum verlängert werden muß, vielleicht weil man wegen eines längeren Aufenthaltes eine Kennkarte für Ausländer braucht – eine Alien Registration Card –, oder weil sich das Finanzamt meldet. Deshalb kann es nichts schaden, zu wissen, daß die japanische Bürokratie ihren eigenen Gesetzen folgt.

1

Japanische Beamte gehen davon aus, daß sie am besten wissen, was dem Bürger nützt – und die meisten Bürger respektieren diesen Anspruch. Behandeln Sie folglich Beamte nicht unbekümmert gleichrangig und schon gar nicht herablassend arrogant, sondern spielen sie die Rolle eines Untertanen. Um so zügiger wird Ihr Fall bearbeitet. Nach einer weitverbreiteten Praxis stellen übrigens viele Japaner erst dann Anträge bei den Ämtern, wenn vorher auf »inoffizielle

Weise« geklärt ist, daß die Anträge auch genehmigt werden. Auf diese Weise lassen sich Ablehnungen weitgehend vermeiden, wodurch wiederum die als soziales Ideal erstrebte Harmonie gewahrt bleibt.

2

Alles hat seine Ordnung. Beamten wenden ihre Vorschriften penibel und korrekt an, leider mehr den Buchstaben als dem Sinne nach. Sollte Ihr Fall in den Paragraphen und Präzedenzfällen nicht vorgesehen sein, würden Ihnen auch (japanische) Engelszungen nicht helfen. Die Beherzigung dieser Erfahrung kann Ihnen nicht nur Frustrationen, sondern auch Erschöpfungszustände ersparen. Der Ermessensspielraum japanischer Beamter ist minimal. Nicht böser Wille blockiert Großzügigkeit. Sie sind in der Sorge erzogen, daß jede Abweichung von bewährten Praktiken neue Präzedenzfälle begründen würden, auf die sich dann auch andere Bürger berufen könnten, mit unübersehbaren Folgen. Unbürokratisches souveränes Abwägen ist nicht japanische Beamtenart.

Zur bürokratischen Ordnung gehört übrigens auch, daß keine Akten verlorengehen und daß nichts in Vergessenheit gerät. Ein südkoreanischer Geheimagent, als Diplomat getarnt und als solcher wegen seiner Immunität nicht bei der Ausländerpolizei erfaßt, konnte trotzdem anhand von Fingerabdrücken identifiziert werden, welche die Polizei am Tatort einer mit seiner Beteiligung organisierten Entführung in Tokio fand. Es waren dieselben Fingerabdrücke, die die Polizei viele Jahre vorher von demselben Mann genommen hatte, als er für kurze Zeit in Japan als Journalist arbeitete und sich damals eine mit Fingerabdrücken versehene Alien Registration Card hatte ausstellen lassen müssen.

3

Halten Sie unbedingt die Vorschriften ein! Ihnen selbst mag es nicht als Staatsaffäre erscheinen, ein Transitvisum um einen Tag zu überziehen, oder Ihre Adresse in Tokio nach einem Umzug innerhalb der Stadt nicht bis zum genau festgesetzten Zeitpunkt dem Einwohnermeldeamt mitzuteilen, oder es, falls Sie in Japan wohnen, zu unterlassen, vor einem Wochenendausflug nach Manila eine Wiedereinreiseerlaubnis (ein Re-Entry Permit) zu besorgen.

Doch sollten Sie gegen irgendeine dieser Regeln verstoßen, werden Sie leider das ansonsten so gastfreundliche Japan in schlimmer Erinnerung behalten. Man wird Sie zur Polizei bestellen – wenn Sie die Polizei nicht gleich wie einen Verbrecher aus Ihrer Wohnung abholt – und Sie dann stunden- und manchmal tagelang verhören. Die meisten der Fragen, mit denen man Sie quält, haben mit Ihrem »Fall« nicht das geringste zu tun. Ob Sie als Frau schon einmal Geld durch Prostitution verdient haben? Ob Ihre Eltern und Schwiegereltern im Ausland noch leben und wie deren Wohnungen eingerichtet sind? Wo Sie als Mann Ihre Frau kennengelernt haben? Und so fort. In Wahrheit geht es den vernehmenden Beamten gar nicht um all diese Informationen. Der Sinn der Tortur liegt darin, Ihnen einen solchen Schock einzujagen, daß Sie künftig nie mehr die pedantische Befolgung aller Vorschriften auf die leichte Schulter nehmen. Und dieser Zweck wird hundertprozentig erreicht. Nachdem Sie einen formellen Entschuldigungsbrief geschrieben haben, dessen Wortlaut Ihnen der Beamte meist schon fertig vorlegt und in dem Sie reuevoll bestätigen, daß keine Wiederholung vorkommen wird, werden Sie endlich entlassen – übrigens ohne eine Geldstrafe oder Geldbuße zahlen zu müssen, die wahrscheinlich in Europa fällig wäre, die Ihnen dort aber auch zugleich die erlebten Erniedrigungen ersparen würde.

4

Versuchen Sie es unter keinen Umständen mit einer »krummen Tour«. In anderen Ländern mag ein diskret in den Paß gefalteter Geldschein Wunder wirken. In Japan könnte er Sie an den Rand einer Katastrophe bringen. Damit soll nicht gesagt sein, daß es keine Korruption gäbe, doch findet die in Höhen statt und in Kreisen (vor allem in der Politik), zu denen Ihnen vermutlich nicht nur der Zugang fehlt, sondern wo Sie auch schon wegen der Größenordnungen nicht mithalten könnten. Je kleiner die Beamten, desto unbestechlicher ihr Verhalten.

Aus dem Begründer des Zen-Buddhismus ist der Glücksgott Daruma geworden

Nicht ganz einfach ist die Frage zu beantworten, ob Sie zum Besuch einer japanischen Behörde japanische Kollegen, Mitarbeiter oder Freunde als Dolmetscher oder Helfer mitnehmen sollten. Als Faustregel läßt sich vielleicht sagen, daß eine solche Unterstützung bei reinen, problemlosen Verwaltungsaffären meist von Nutzen ist, weil Ihr japanischer Begleiter die Formulare besser lesen kann und die Antworten auf die Standardfragen kennt.

Sobald sich jedoch ein »Fall« abzeichnet, sind Ausländer oft besser beraten, ihn allein durchzukämpfen, vorausgesetzt, daß sie starke Nerven besitzen. Mit japanischen Sprachkenntnissen sollte man in einer solchen Situation auf keinen Fall prahlen. Denken Sie sich nur in die Lage eines Beamten, der genau weiß, wie man Sie zur Weißglut bringen könnte und der dabei an der Sprachbarriere scheitert!

Von Geld und Geldgeschäften

In Japan können Sie lernen, wie es Millionären zumute ist. Da der Yen als Landeswährung genau wie alle anderen Währungen durch eine jahrzehntelange schleichende Inflation abgewertet wurde, die Behörden aber sich bis heute um eine Währungsreform gedrückt haben, entspricht der Yen, der früher grob mit einer Mark zu vergleichen war, heute bei stark schwankenden Kursen etwas mehr als einem Pfennig. Es nützt Ihnen deshalb leider gar nichts, wenn Sie von eins bis hundert zu zählen gelernt haben, denn für hundert Yen können Sie gerade ein paar U-Bahn-Stationen weit fahren. Selbst niedrige Gehälter liegen immer über 100000 Yen, für eine Luxuswohnung im europäischen Stil sollten Sie mit mehr als einer Million Yen pro Monat rechnen, und wer mit dem Kauf eines ausländischen Wagens liebäugelt, muß auf jeden Fall weit mehr als eine Million Yen auf dem Konto haben. Kurzum, wer in Japan lebt, darf sich fühlen wie ein Bankdirektor. Für 50000 Yen können Sie gerade drei oder vier Geschäftsfreunde in einem bescheidenen Restaurant zum Abendessen einladen

– ohne teuren Wein. Bevor Sie nicht auf Anhieb die Zahl 479 326 ins Japanische übersetzen können – für diese Summe könnte man vielleicht eine alte Truhe oder eine ausgefallene Keramik für die Tee-Zeremonie erstehen –, kommen Sie mit Sprachkenntnissen nicht weit. Erleichtert wird das Umsetzen hoher Beträge auch nicht dadurch, daß die Japaner Tausender-Summen nicht in Tausend, Zehntausend und Hunderttausend unterteilen, sondern daß sie nach Tausend eine eigene Zähleinheit für Zehntausend kennen (*ichi man*). Wer von Millionenbeträgen sprechen will (und muß), kann nicht einfach Zahlen übersetzen, sondern muß darüber hinaus noch umdenken, weil »eine Million« im Japanischen durch die Worte »hundert Zehntausende« ausgedrückt wird.

Sobald es um die praktische Abwicklung von finanziellen Transaktionen geht, werden Sie die merkwürdige Erfahrung machen, daß einer der modernsten Industriestaaten seine Geldgeschäfte bis heute am liebsten auf die altmodischste Weise abwickelt: in bar. Daueraufträge bei den Banken für die Monatsmiete sind überaus selten. Dauerabbuchungen für Telefongebühren oder Stromrechnungen kennt kein Mensch. Am liebsten bewegen die Leute Scheine und Münzen hin und her. In einem besonderen Post-Service kann man in eigens dafür vorgesehenen Umschlägen Bargeld an einen Empfänger schicken, während man bekanntlich in Deutschland eine bestimmte Summe am Schalter einzahlt und der Geldbriefträger am anderen Ende das Geld aus seiner Dienstkasse erstattet. Hier in Japan erhält der Empfänger nicht nur den gewollten Betrag, sondern auch die vom Absender eingetüteten Scheine und Münzen. Am Ende eines jeden Monats herrscht in den Städten meist ein besonders reger Autoverkehr, dann sind nämlich die unzähligen Händler, Lieferanten und Handwerker unterwegs, um ihre Außenstände einzukassieren. Daß zur selben Zeit nicht auch Scharen von Dieben und Räubern den schier unüberschaubaren Geldtransporten auflauern, gehört zu den beneidenswerten Aspekten der japanischen Wirklichkeit. Es gibt Großbanken im Lande mit zahlreichen Filialen, von denen in ihrer ganzen Geschichte noch nie eine von einem Bankräuber überfallen worden ist.

Wer mit einem Scheck bezahlt, ausgestellt auf eine japanische Bank oder auf die Filiale einer der deutschen Banken in Tokio, muß damit rechnen, daß er behandelt wird wie jemand, der in Amerika bar bezahlt, nämlich voller Mißtrauen. In vielen Fällen wird man Schecks erst akzeptieren, wenn vorher telefonisch bei der Bank die Bonität geprüft werden konnte.

Das Eintauschen von Reiseschecks in den großen Hotels und den größeren Banken bereitet keine Schwierigkeiten, und Kreditkarten der großen internationalen Aussteller und auch japanischen Ursprungs breiten sich rasch aus. Doch bleibt der Kreis derjenigen Läden, Restaurants, Hotels und Reisebüros, die Kreditkarten akzeptieren, außerhalb der ausgetretenen Pfade der Ausländer vorerst relativ eng gezogen. Wer in einem amerikanischen Supermarkt erlebt hat, wie dort fast jeder Käufer per Kreditkarte bezahlt, selbst wenn er nur einen einzigen Salatkopf erworben hat, macht in Japan die umgekehrte Erfahrung, daß fast jeder in bar bezahlt – korrupte Politiker durchaus eingeschlossen. Vom Fahrer eines Ministerpräsidenten wurde bekannt, daß er eine Bestechungssumme von mehreren Millionen Mark (nicht Yen!) in 10 000-Yen-Scheinen, gebündelt und ordentlich in Schuhkartons verpackt, durch Tokio kutschierte.

Geld galt übrigens im Japan der Samurai als ein eines tapferen Kriegers unwürdiger Gegenstand, im Gegensatz zum alten Rom, wo es bekanntlich nicht stank. Klassische konfuzianische Vorstellungen, nach denen sich ein Gelehrter nicht mit Geldgeschäften abgab und die den Kaufmann auf eine der untersten Sprossen der sozialen Leiter verwiesen, kamen dazu.

Weil aber auch die Samurai gelegentlich nicht ohne Geld auskamen, werteten sie diesen schmutzigen Gegenstand wenigstens sprachlich auf, indem sie dem Wort für Geld, *kane*, wie zur Säuberung ein *o* voransetzen, das im Japanischen häufig als Höflichkeits- und Anstandssilbe Hauptwörter einleitet. Geld heißt seitdem und bis heute *okane*. Und ein wenig verschämt gehen noch immer viele Japaner mit Bargeld um. Wenn es sich nicht gerade um die Bezahlung des Krämers oder des Benzins an der Tankstelle handelt, sondern um die Miete, um Gehälter für Angestellte oder gar um traditionelle Geldgeschenke, zeugt es von Stil und guten Manieren, solche Beträge ein wenig diskret in einem eigens dafür vorgesehenen Umschlag zu überreichen.

Neben dem altmodischen Umgang mit Geld wartet das japanische Bankensystem zugleich mit einem vorbildlichen Kundendienst auf. Jeder Kunde einer der großen Banken kann seit Jahren mit seinem Plastikausweis in jeder Filiale seiner Bank Papiergeld abheben, indem er sein Plastikkärtchen in einen Automaten steckt und seine persönliche Codenummer und den erbetenen Geldbetrag drückt, ein Verfahren, das sich bei uns erst neuerdings eingebürgert hat.

Kein Ausländer sollte übersehen, daß die sonst so lernbegierigen Japaner eine Sitte aus dem Ausland erfreulicherweise nicht übernahmen: das Zahlen von Trinkgeldern. Güter und Leistungen haben für Japaner ihre festen Preise, und dabei bleibt es. Kein Friseur, kein Liftboy, kein Kellner, kein Taxifahrer erwartet in Japan eine besondere Belohnung. Für was auch? Wo doch ein möglichst guter Service zur Arbeitsmoral gehört und sozusagen in den normalen Preis bereits einkalkuliert ist. Ausländer gewöhnen sich nur schwer daran, in Japan keine Trinkgelder zu spendieren, aus dem Gefühl heraus, sich vor einer Pflicht zu drücken. Trotzdem, je konsequenter sich auch Fremde an diese Gepflogenheit halten, desto länger wird die Praxis fortdauern. (Sie wäre neben dem Ausziehen der Schuhe beim Betreten einer Wohnung die zweite japanische Sitte, deren Übernahme ich den Europäern nur empfehlen kann.)

Die Überzeugung, daß alles seinen festen Preis habe, wirkt sich noch auf eine zweite Weise aus: In Japan feilscht man nicht bei normalen Einkäufen, man diskutiert nicht über den Preis. Was in fast allen anderen Ländern Asiens möglich ist, ja oft geradezu zum Ritual gehört, nämlich vor allem bei Gegenständen von größerem Wert einen Phantasiepreis auf zumutbare Dimensionen herunterzuhandeln, ist in Japan nicht möglich. Eine Ausnahme bildet allenfalls der Antiquitäten- und Schmuckmarkt, wie wohl überall in der Welt, doch selbst dort gehören in Japan mehr Geschick und mehr Takt dazu, einen Preisnachlaß zu erreichen.

Andererseits dürfen sich Besucher damit trösten, daß man ihre Unkenntnis als Ausländer nicht ausnutzt, daß man ihnen also nicht mehr abverlangt als normalen japanischen Kunden. (In manchen Städten Ostasiens, wie beispielsweise Hongkong, Macao oder Manila, existiert ein dreifach gestaffeltes Preissystem, nicht offiziell und nicht überall, aber doch weit verbreitet: billig für die eigenen Landsleute, teurer für erfahrene Kunden aus Europa und Amerika, und am teuersten für unwissende Japaner, die solche Praktiken nicht vermuten.)

Japans Festpreise entbinden allerdings nicht von der Pflicht, vor einem großen Einkauf den Markt zu studieren. Es ist durchaus möglich, daß eine Ware in verschiedenen Läden zu unterschiedlichen Preisen angeboten wird. Das Stadtviertel Akihabara in Tokio zeichnet sich beispielsweise dadurch aus, daß dort fast alle elektrischen und elektronischen Geräte billiger zu erwerben sind als in den Superkaufhäusern der Ginza oder von Shinjuku. Die Kaufhäuser in ganz Japan wiederum sind auch samstags und sonntags geöffnet und schließen dafür an einem Wochentag. Kein Ladenschlußgesetz gebietet irgendeinem Händler feste Geschäftsschlußzeiten, und es gibt Supermärkte, die 24 Stunden lang geöffnet haben – an sieben Tagen der Woche.

Nicht selten ist es, daß gute Kunden, die einem Händler seit Jahren bekannt sind und die immer wieder Freunde und Besucher bei ihm einführen, erhebliche Preisnachlässe bekommen, ohne langes Handeln. Fast jeder, der länger in Japan lebt, hat seine speziellen Einkaufsquellen.

Japans moderne Exportprodukte können von Ausländern in zahlreichen Läden sogar billiger als von Einheimischen erworben werden: »Custom Free« bedeutet, daß der Händler für an Ausländer verkaufte Kameras, Perlen usw. weniger Steuern zahlen muß und deshalb seine Preise entsprechend herabsetzen kann. Der Staat fördert auf diese Weise steuerlich den Export. Dem ausländischen Käufer wird dabei eine Verkaufsbestätigung in den Paß geklebt, die ihm später der japanische Zoll bei der Ausreise wieder heraustrennt, wobei sich die Zöllner durch Stichproben überzeugen, daß der gekaufte Gegenstand auch wirklich ausgeführt wird. Was jedoch im fremden Paß zurückbleibt, ist ein winziger halber roter Stempel, mit dem ursprünglich der Verkäufer die Verkaufsbestätigung in den Paß versiegelte – der Zollbeamte in Deutschland kann daran erkennen, daß in Japan irgendein steuerbegünstigter Einkauf stattgefunden hat, der im Zweifel in Deutschland bei der Einreise zu verzollen wäre. Auf entsprechende Bitten lassen japanische Verkäufer den verräterischen kleinen roten Stempel auch weg.

Lassen Sie sich, liebe Besucher, von keinem Händler einreden, daß er Ihnen mit einem »Custom Free«-Verkauf eine besondere Gunst erweise. Da er für diesen Verkauf weniger Steuern zahlt, bleibt sein Gewinn genauso hoch wie bei einem Verkauf zum normalen innerjapanischen Preis. Es lohnt sich, zu erkennen zu geben, daß man in dieser Exportsubventionierung leider keinen »Special Discount« zu erkennen vermöge. In seltenen Fällen erreicht man auf diese Weise einen zusätzlichen kleinen Nachlaß.

Roher Fisch
muß nicht sein

Für ängstliche Besucher sei die wichtigste Information gleich an den Anfang gestellt. Man kann wochen-, ja jahrelang in Japan leben, ohne ein einziges Mal japanisch essen zu müssen. In vielen Großstädten findet man heute chinesische und indische, französische und deutsche Restaurants, letztere gelegentlich mit alpenländischer Blasmusik, wobei dann allerdings in den Lederhosen Japaner stecken. Die großen internationalen Hotels bieten vorwiegend westliche Gerichte an; wer einheimisch japanisch essen möchte, muß oft eines der Spezialitätenrestaurants der Hotels aufsuchen. Bäckereien und Konditoreien schießen im ganzen Land aus dem Boden, die Hähnchen- und Hamburgergrills amerikanischer Restaurantketten sind kaum noch zu zählen, und in den feinen Kaufhäusern jener Städte, in denen zahlreiche Ausländer wohnen, kann man Fertigsuppen und Weine aus Deutschland, Käse und Pasteten aus Frankreich und Italien, Bündnerfleisch, ungarische Salami, australische Lammkeulen und amerikanische Steaks, kurz, eigentlich alles kaufen, von japanischen Würsten und Steaks und Seezungen natürlich ganz abgesehen. Nur Rehkeulen und Hasenrücken sind nirgendwo zu finden, aus Gründen, die zu erforschen mir in einem vollen Jahrzehnt nicht gelungen ist. Das Steak gilt dem Japaner als prestigeträchtigste und deshalb teuerste Speise, vielleicht, weil die breite Mehrheit bis vor wenigen Jahrzehnten überhaupt kein Fleisch kannte. Absolute Spitzenqualität, faserig mit Fett durchwachsen, kostet pro hundert Gramm im Laden etwa fünfunddreißig Mark. Daß die Rinder dieser Qualität mit Bier getränkt und täglich massiert werden, um das Fleisch würzig und zart werden zu lassen, hat sich weitgehend in der Welt herumgesprochen. Der eigentliche Grund für die höchsten Steakpreise der Welt liegt jedoch in der Einfuhrpolitik der japanischen Regierung, die nichts dagegen hat, daß billige Importe erst nach geheimnisvollen künstlichen Verteuerungen auf dem Markt erscheinen, weil auf diese Weise auch die japanischen Bauern höchste Preise erzielen – allein auf die Stimmen der Landbevölkerung kann sich die regierende konservative Liberaldemokratische Partei heute noch mit Sicherheit bei Wahlen fest verlassen.

Frühstück »im westlichen Stil«, also Kaffee, Toast, Eier und Marmelade, setzt sich auch bei den Japanern immer mehr durch und wird heute sogar am Kaiserhof serviert. Den japanischen Hausfrauen ist dies nur recht, weil sich nämlich ein westliches Frühstück viel rascher und leichter zubereiten läßt als das traditionelle japanische Frühstück aus frischgekochtem

Reis, Suppe, Fisch, Seetang, Eiern und eingelegten Gemüsen. Zum Ärger traditionsbewußter Japaner offerieren manche Hotels nur noch Frühstück auf westliche Art. Überraschungen sind dabei allerdings nicht ausgeschlossen. Niemand sollte sich wundern, wenn man ihm in der Provinz versichert, man könne selbstverständlich Spiegeleier zubereiten – und man sie dann abends bäckt und sie nachts im Kühlschrank aufbewahrt, bevor man sie morgens eiskalt dem Gast vorsetzt. Und wer – wie ich es erlebte – zum Frühstück gleich ein volles Wasserglas Wodka vorfindet, sollte daraus nur den Schluß ziehen, daß vor ihm russische Ingenieure eine Zeitlang in dem Hotel gelebt haben und dort »westliche« Gepflogenheiten einführten.

Es geht also durchaus ganz ohne japanisches Essen in Japan (und manche Amerikaner trauen nicht einmal dem japanischen Salat und kaufen statt dessen die viel teureren, aus Kalifornien eingeflogenen grünen Blätter). Doch wer nach Japan kommt und sich nicht an die japanische Küche wagt, der verzichtet auch darauf, die Japaner zu begreifen. Skeptiker sollten bedenken, daß, wie fremdartig die Gerichte auch immer aussehen und schmecken mögen, jeder Ausländer in Japan ungefährdet alles essen und trinken kann, was immer man ihm vorsetzt. In keinem anderen Land in ganz Asien geht es so sauber, so genießbar zu. Alles, was der Weltreisende über Asien gelernt hat: kein ungekochtes Wasser zu trinken, frischen Salat am besten stehen zu lassen, die kleinen Kneipen am Straßenrand zu meiden, all dies darf er

Schinto-Priester

in Japan vergessen. Auch in der Nahrungshygiene haben die Japaner den westlichen Standard längst erreicht.

Fast alles, was die Japaner essen, stammt aus dem Meer. Fische, Kriechtiere oder Pflanzen – was auch immer im Ozean schwimmt, krabbelt oder wurzelt, wird von Japanern verspeist. Auf dem Fischmarkt von Tokio treffen jeden Morgen achttausend Händler ihre Wahl aus mehr als dreihundertzwanzig Sorten von Fischen und Seetieren. So ist dieser Markt auch einer der eindrucksvollsten Sehenswürdigkeiten Japans, die sich kein Besucher entgehen lassen sollte, auch wenn er dafür früh aufstehen muß, weil die größte Geschäftigkeit morgens zwischen fünf und sieben Uhr herrscht. Eine Aufzählung von all dem, was Fischer und Taucher an die Oberfläche holen, ist so unmöglich wie eine Darstellung der vielen Zubereitungsarten, zumal jede Insel und jede Region ihre Spezialitäten hat. Die Japaner sind die ausgiebigsten Fischesser der Welt, und wer Meeresfrüchte mag, ist hier wahrhaftig am richtigen Ort.

Damit sind wir nun also beim rohen Fisch angelangt – dessen Stücke entweder allein für sich, nur in eine würzige Soße getaucht, gegessen werden (*sashimi*), oder auf kalte Reisbällchen gepackt (*sushi*), was erheblich billiger ist. Weil sich Geschmack im Grunde nicht beschreiben, sondern nur erleben läßt, kann der Verfasser an dieser Stelle lediglich nachdrücklich empfehlen, den zart-rosa Thunfisch einmal zu probieren. So mancher Ausländer, der Jahre in Japan gelebt hat, vermißt später nach seiner Heimkehr nur eines, eben diese Delikatesse. Wer beim ersten Versuch ein leichtes Magendrücken überwinden muß, mag sich damit trösten, daß man im Westen rohes Fleisch als Steak Tatar serviert, ein Leckerbissen, dessen Erwähnung den meisten Japanern den Magen umdreht.

An zwei der berühmtesten Spezialitäten kommt kein Besucher vorbei: *sukiyaki*, eine Art leicht süßliches Fondue aus dünnen Fleischscheiben, Gemüse, Ei und Soyasoße, und *tempura*, bestehend aus panierten Garnelen, Fischen und Gemüsen, die in siedendem Öl frittiert werden. Beide Gerichte gehen übrigens auf europäische Vorbilder zurück, was selbst die wenigsten Japaner wissen. Tempura haben einst die Portugiesen eingeführt, und Sukiyaki kam erst im vorigen Jahrhundert auf, als die Bevölkerung zum erstenmal Rind- und Schweinefleisch kennenlernte. Das ist oft so in Japan, etwas sieht urjapanisch aus, in Wahrheit aber stammt es von draußen. Auch das amerikanische Steak unterliegt bereits diesem Anpassungsprozeß. In vielen Restaurants wird es »japanisch« serviert, zubereitet auf einer heißen Herdplatte vor den Augen des Gastes, in Würfel geschnitten und in Soyasoße gedünstet.

Wer nicht viel von den feinen Restaurants hält, mit ihrer Tendenz zu exquisiten Speisen und zu exquisiten Preisen, dem seien die Yakitori-Kneipen empfohlen, in denen sich nach Büroschluß Angestellte, Ladenbesitzer, Sekretärinnen und Handwerker drängen, bevor sich die Damen auf den langen Weg nach Hause und die meisten Herren auf den kurzen

Weg zu ihrer Stamm-Bar machen. *Yakitori* heißt gebratenes Huhn, das auf Schaschlik-Art auf kleinen Holzspießen über offenem Feuer gegrillt wird, mit einer kräftigen Soße gewürzt. Doch das Angebot umfaßt auch Leber, Rindfleisch, diverse Gemüse und Gingonüsse, immer in kleinen Happen aufgespießt und über Flammen gegart, während die Gäste sich in den winzigen Lokalen, ähnlich den Sushi-Restaurants, meist um die Theke drängen und zuschauen, wie dahinter alles zubereitet wird. Küche und Gaststube sind hier eins. Leichter als anderswo kann man mit den hauteng sitzenden Nachbarn ins Gespräch kommen, hier läßt sich am besten erleben, was japanische »Gemütlichkeit« ist.

Einzigartig ist die japanische Küche aber auch noch aus einem anderen Grund. Das Auge ißt immer mit. Nicht nur der Geschmack entscheidet, ja er spielt nicht einmal die wichtigste Rolle, sondern das Aussehen der Speisen, ihre Farben und die Präsentation genießen gleich hohen Rang. Daß auf einer klaren Suppe ein kunstvoll geschnitztes Karottenscheibchen schwimmt, daß ein Salat aus grünen Blättern und roten Tomaten in der Schüssel dargeboten wird, arrangiert wie ein kunstvolles Blumengesteck, daß die Grundfarben der sich abwechselnden Gänge aufeinander abgestimmt sind, daß rosaroter Fisch auf einem grünen Blatt serviert wird, das wiederum in einem gelblich-braunen Bambuskörbchen liegt, daß die Maserung der Holzbrettchen, die oft die Funktion von Tellern erfüllen, an die schlichte Architektur der hölzernen Schreine und Tempel erinnert – dies alles mögen Neuankömmlinge oft übersehen. Für die Japaner wäre ein besonders gutes Essen ohne ästhetische Reize undenkbar.

Nichts macht den Unterschied zur weltberühmten chinesischen Küche, wo fast jedes Gericht aussieht wie das andere, deutlicher. Für die Chinesen zählt nur, wie das Essen schmeckt. Wer ein chinesisches Restaurant betritt, in dem die Tischdecken nicht ganz blütenweiß und die Fußböden nicht staubfrei gefegt sind, wo sich aber jeweils mehrere Generationen vergnügt um die Tische drängen, darf davon ausgehen, daß da ein besonders guter Koch am Werke ist. Elegante chinesische Restaurants, gar mit Kellnern im Frack, sollte man meiden. Ein nicht ganz sauberes japanisches Restaurant hingegen wird auch keine erstklassigen Speisen servieren. Wo in Japan nicht der Blick befriedigt wird, taugt meistens auch das Essen nichts.

Japans Küche läßt das Bestreben erkennen, sich nicht weit von der Natur zu entfernen. Alles sollte so frisch wie möglich sein und weder lange zerkocht noch durch starke Gewürze oder dicke Soßen geschmacklich verändert werden. Ein chinesisches Restaurant im Ausland ist leicht zu betreiben, da vieles halbfertig in Büchsen aus Ostasien importiert werden kann. Japanische Restaurants im Ausland haben es viel schwerer, denn wie kriegt man in München rohen Tintenfisch auf den Tisch, der erst in der Nacht zuvor gefangen worden ist?

Nicht verschwiegen werden soll, daß es auch eine japanische Küche gibt, die vom Gast starke Nerven verlangt. In der Hafenstadt Sasebo beobachtete ich einmal, wie Japaner am Nebentisch einen lebenden Fisch verspeisten. Der stammte aus einem großen Becken mitten im Lokal, aus dem die Gäste wählen konnten. Der Koch – oder hier paßt besser der Ausdruck Schlachter – hatte den Fisch mit einem Schlag auf den Kopf betäubt und ihm dann mit scharfem Messer Scheiben aus der Seite herausgeschnitten, die er anschließend wieder einpaßte; das arme Tier kam so scheinbar unversehrt auf den Tisch. Jedesmal, wenn sich die Gäste dann mit ihren Stäbchen ein Stück wegnahmen, zuckte der sterbende Fisch mit Kopf und Schwanz wie von elektrischen Schlägen getroffen. Selbst in einem normalen Sushi-Restaurant kann es passieren, daß der Wirt eine lebende Garnele aus einem Becken nimmt, ihr den Kopf abschneidet, die Schale vom Körper entfernt und dem Gast den rohen Leib serviert, während die Fühler am abgetrennten Kopf noch in der Luft herumtasten.

Für das in ganz Ostasien verbreitete Gerücht allerdings, Chinesen würden noch heute heimlich lebenden Affen, denen man die Schädeldecke aufgeschlagen habe, das Gehirn auslöffeln, fand ich trotz intensivsten Suchens nie einen glaubwürdigen Zeugen, ebensowenig übrigens wie für die weltweit verbreitete Behauptung, an einem Park in Schanghai habe zur Kolonialzeit ein Schild mit der Inschrift gehängt, »Hunden und Chinesen ist der Zutritt verboten«. Jeder weiß es, doch keiner hat es je gesehen.

Der giftige Kugelfisch (Fugu) gilt als begehrenswerte Delikatesse. Er darf nur in Spezialrestaurants zubereitet werden, von Köchen, die eine besondere Lizenz benötigen. Das ist auch sehr notwendig. Wenn die Innereien nicht sorgfältig und restlos entfernt werden, droht dem Esser Gefahr, unter schrecklichen Qualen zu sterben. Ausländer, die Fugu probieren, finden ihn meist ausgesprochen fade, und die These hat viel für sich, daß er kaum Abnehmer fände, wäre der Verzehr nicht mit einem solchen Nervenkitzel verbunden. Immerhin habe ich, wie diese Zeilen beweisen, ein Probeessen gesund überstanden. Als gleich nach dem Ende des Zweiten Weltkrieges die Japaner hungerten und die Kontrollen lasch waren, starben alljährlich Dutzende von Menschen am Gift des Kugelfisches. Vor wenigen Jahren kam ein berühmter Kabuki-Schauspieler um, weil er darauf bestanden hatte, die Leber zu probieren. Heute passiert praktisch nichts mehr. (Diese Mitteilung erfolgt ohne Gewähr!)

Was das Trinken angeht, braucht sich ein Europäer in Japan nicht umzustellen. Zwar mögen die Japaner ihren milden grünen Tee lieber als den von den Europäern bevorzugten schwarzen (der in ihrer Sprache richtiger »brauner Tee« heißt), auch ihr Reiswein, Sake, schmeckt vorzüglich – im Sommer kalt, im Winter heiß getrunken – und ist zudem sehr bekömmlich. Doch wer bei europäischen Gewohnheiten bleiben will, verhält sich oft zugleich auch japanisch: längst wird im Land der aufgehenden Sonne mehr Bier als Sake getrunken. Japanisches Bier kommt dem deutschen nahe, die ersten Bierbrauer stammten aus Deutschland. Die Japaner weisen auch stolz darauf hin, daß einige ihrer besten Brauereien auf der für ihr sauberes und klares Wasser berühmten Nordinsel Hokkaido liegen – etwa auf derselben geografischen Breite wie München. Mehr Prestige als Bier verleiht Whisky, er ist das bevorzugte Getränk der Geschäftswelt. Wer morgens in Tokio durch die Vergnügungsgassen der Ginza, von Akasaka oder Shinjuku läuft, stolpert geradezu über Stapel leerer Whiskyflaschen, die meisten davon aus japanischer Produktion.

Hongkong dagegen zählt zu den größten Absatzmärkten der Welt für französischen Cognac, während Whisky sich dort kaum durchgesetzt hat. Böse Zungen behaupten, die Cognac-Lobby habe vor Jahren das Gerücht lanciert, Whisky mache impotent, seitdem habe Whisky bei den lebensfreudigen Hongkong-Chinesen keine Chance mehr.

Die Medien:
Englisch genügt

Ein Volksschüler muß in Japan 881 Schriftzeichen lernen, von einem Oberschüler erwartet man die Kenntnis von 1850 verschiedenen Zeichen. Damit ist die Frage beantwortet, ob Besucher in relativ kurzer Zeit so gut Japanisch lesen lernen können, daß es zum Verstehen einer Zeitung ausreicht.

Glücklicherweise erscheinen jedoch in Japan zahlreiche Publikationen in englischer Sprache, darunter allein vier Tageszeitungen und eine Wochenzeitung, die alle wichtigen Berichte des angesehenen Wirtschaftsblattes *Nihon Kezai Shimbun* zusammenfaßt, so daß sich jeder Besucher über die Entwicklungen in Japan und in der übrigen Welt vorzüglich informieren kann. Abgesehen von der angesehenen *Japan Times*, die in einem eigenen Verlag gedruckt wird, werden die anderen englischsprachigen Tageszeitungen von den drei großen Verlagen der *Mainichi Shimbun*, *Asahi Shimbun* und *Yomiuri Shimbun* publiziert, wobei es sich nicht einfach um Übersetzungen der japanischen Ausgaben handelt, sondern um in eigenen Redaktionen speziell für die in Japan lebenden Ausländer produzierte Blätter. Da in ganz Japan, abgesehen von einer koreanischen und einer chinesischen Minderheit, insgesamt nur etwa 60 000 Ausländer leben, lassen sich mit den englischsprachigen Tageszeitungen gewiß keine Vermögen verdienen. Sie entpuppen sich als gastfreundlicher Service. Wer dies für selbstverständlich hält, mag sich einmal in Europa nach Vergleichen umsehen – es gibt sie in dieser Qualität nicht. Denn die englischsprachigen Tageszeitungen Japans erweisen sich keineswegs als dürftiger Notbehelf. Ihr Nachrichtenteil steht hinter dem europäischer Regionalzeitungen nicht zurück, sie informieren über Wahlergebnisse in Schleswig-Holstein ebenso wie über das wechselhafte Schicksal des Dollar-Kurses und lassen auch europäische Fußballergebnisse nicht aus.

Wer eine der Zeitungen abonnieren möchte, informiert die nächste Verteilerstelle und findet Stunden darauf sein erstes Exemplar im Briefkasten. Wer keinen Wert mehr auf die Zustellung legt, kann sein Abonnement von einem auf den anderen Tag beenden und muß dann keineswegs einen vollen Monat, sondern nur die Tage der Belieferung bezahlen.

In den großen Buchhandlungen haben sich ganze Abteilungen auf fremdsprachige, meist englische Literatur spezialisiert. Einige Läden bieten vorwiegend deutsche Bücher und Zeitschriften an. Die Zeitungsstände großer Hotels verkaufen die internationalen Wochenzeitschriften, daneben gelegentlich auch deutsche Publikationen. Kurzum, wer sich in Japan auf dem laufenden halten will, muß bereits sortieren, damit er nicht im Lesestoff erstickt.

Weniger günstig sieht es beim Fernsehen aus, wo neben dem halbstaatlichen und nur von Gebühren lebenden NHK etwa ein halbes Dutzend privater Stationen ein vorwiegend auf leichte Unterhaltung abgestimmtes Programm aus derart häufig eingeblendeten Werbespots finanzieren, daß sich die Frage stellt, ob im privaten japanischen Fernsehen die Werbung wirklich der Finanzierung der Programme dient, oder ob die Programme nicht etwa nur die Hilfsfunktion haben, die Lücken zwischen der Werbung zu füllen.

Leider gibt es im japanischen Fernsehen keine Parallele zu den englischsprachigen Tageszeitungen. NHK sendet zahlreiche Fernsehspiele und Dokumentationen, von denen Ausländer profitieren könnten, würden sie die Sprache verstehen. Zwar macht die japanische Industrie seit einiger Zeit Reklame für neue Geräte, über die man neben dem Stereoton bei Musiksendungen auch englische Übersetzungen japanischer Nachrichten- und Unterhaltungssendungen empfangen könnte – wenn solche Übersetzungen wirklich in größerem Ausmaß ausgestrahlt würden. Was einzelne Sender statt dessen bislang bieten, sind nicht mehr als englische Nachrichtenzusammenfassungen, also die Übersetzungen ihrer Fernseh-Kurznachrichten, sowie gelegentlich den Originalton zu alten ausländischen Spielfilmen. Neuerdings experimentiert eines der NHK-Programme mit der Ausstrahlung kompletter aktueller ausländischer

Fernsehnachrichten, von Tagesschau und Heute über die entsprechenden amerikanischen, britischen, französischen bis zu sowjetischen, chinesischen und koreanischen Programmen, wobei zu hoffen bleibt, daß die hohen Kosten dieser Dienstleistung nicht zur vorzeitigen Beendigung des Experiments führen. Zusätzlich hat sich eine Kabel-Fernsehgesellschaft aufgetan, die ihr Programm vorwiegend in die großen internationalen Hotels und in von Ausländern bewohnte Apartmenthäuser liefert. Doch da es sich bei diesen Programmen meist um die ältesten Konserven aus der amerikanischen Fernsehprovinz und um japanische Public-Relations-Filme handelt, entgeht einem Japanbesucher nichts, wenn er sich diesem Angebot versagt.

Unter all den verschiedenen Hörfunkstationen verdient der amerikanische Soldatensender FEN (Far East Network) als einziger wirklich Aufmerksamkeit, weil er zu jeder vollen Stunde Nachrichten in englischer Sprache ausstrahlt – oder jedenfalls in einem Idiom, das die Ansagerinnen und Ansager dafür halten. Da FEN in den frühen Abendstunden zahlreiche aus den Vereinigten Staaten übermittelte Kommentare und Analysen amerikanischer Korrespondenten aus allen Teilen der Welt sendet, und weil praktisch die gesamte Ausländerkolonie FEN hört, ist es durchaus möglich, daß das Weltbild der in Japan lebenden Ausländer stärker als vom japanischen Fernsehen von einer amerikanischen militärischen Hörfunkredaktion geprägt wird.

Wenn man krank wird

In keinem Volk der Erde werden die Menschen heute so alt wie im japanischen. Die internationalen Statistiken erweisen zweifelsfrei, daß die durchschnittliche Lebenserwartung der Japaner, sowohl der Frauen wie der Männer, nicht nur um einige Monate über der Lebenserwartung der Deutschen liegt, sondern über der Lebenserwartung sämtlicher anderer Völker. Mögen auch viele Faktoren zu dieser Erfolgsbilanz beitragen, die sprichwörtliche Sauberkeit zum Beispiel oder der weithin geringere Streß im Bewußtsein des lebenslang sicheren Arbeitsplatzes oder die dadurch geringere individuelle Profilierungssucht innerhalb einer Firma, ein Zwang, der häufig erst gar nicht aufkommt; der entscheidende Anteil dürfte aber doch dem hohen Stand der Medizin zukommen. Diese Tatsache allein sollte bereits jeden, der in Japan plötzlich einen Arzt oder einen Zahnarzt braucht, beruhigen.

Nicht nur, daß die großen Hotels rund um die Uhr jederzeit im Notfall einen Arzt herbeirufen können, mindestens genauso wichtig dürfte sein, daß man den

Ärzten in Japan voll vertrauen kann. Wer länger im Lande bleibt, sich also aus dem Dunstkreis der Hotels entfernt und eine Wohnung bezieht, sollte, damit er gerüstet ist, sich möglichst frühzeitig von Kollegen, Freunden oder Bekannten Ärzte empfehlen lassen. Dabei sollte man nicht übersehen, daß auch die Deutsche Botschaft Auskunft geben kann und daß es einen – japanischen – Vertrauensarzt der Deutschen Botschaft gibt. Wer einen Arzt sucht, steht jedoch immer vor einer kleinen grundsätzlichen Entscheidung: Ausländer (also Nicht-Japaner) oder Japaner? In Tokio und anderen Großstädten praktiziert nämlich eine ganze Reihe von ausländischen Ärzten, Europäer und Amerikaner, und es gibt Krankenhäuser, vorwiegend von Missionsärzten gegründet, in denen neben ausländischen Ärzten teilweise auch ausländische Schwestern arbeiten, was die Kommunikationsprobleme erheblich vereinfacht.

In den rein japanischen Krankenhäusern geht es dagegen – wie könnte es anders sein – japanisch zu. Die Privatsphäre wird dort weniger konsequent vor Mitpatienten abgeschirmt, oft finden Behandlungen nicht in separaten Zimmern statt, sondern in großen Räumen, in denen lediglich ein paar Stoffbahnen Kabinen markieren. Auch an japanische Krankenkost muß man sich erst gewöhnen. Das völlige Fehlen auch nur minimaler japanischer Sprachkenntnisse erleichtert den Aufenthalt nicht gerade. Und trotzdem sollten all diese kleinen Schwierigkeiten nicht überschätzt werden. Es waren deutsche Ärzte, die während der Modernisierung Japans im vorigen Jahrhun-

Freizeit-Angler

dert die westliche Medizin einführten, und die gesamte ältere japanische Ärzte-Generation hat einmal auf der Universität Deutsch gelernt, wovon zumindest eine ganze Reihe medizinischer Ausdrücke bei den meisten hängengeblieben sind. Deshalb kann nicht deutlich genug festgestellt werden, daß die Sachkunde der Ärzte, die Hilfsbereitschaft und die Geduld des Personals, erst recht gegenüber Ausländern, jene kleinen Hindernisse mehr als ausgleichen. Wer sich für ein japanisches Krankenhaus entscheidet, sollte jedoch nicht unbesehen gleich das nächstliegende aufsuchen. Die Qualitätsunterschiede zwischen privaten Hospitälern können beträchtlich sein. Neben einigen weithin bekannten privaten Kliniken erfreuen sich vor allem einige Krankenhäuser staatlicher und privater Universitäten eines ausgezeichneten Rufes.

Generalisierend läßt sich feststellen, daß japanische Patienten ihrem Arzt mit größerem Vertrauen begegnen als die meisten Europäer. Sonst wäre es nicht möglich, daß die Ärzte auch die Funktion des Apothekers übernehmen. Am Schluß einer Behandlung händigt der Arzt dem Patienten anstelle des in Europa üblichen Rezepts gleich selbst die Medizin aus, Tropfen, Pillen, Pulver. Apotheken im westlichen Sinne gibt es kaum. Zumeist empfängt der Patient seine Medizin in neutralen Tütchen oder Fläschchen, ohne daß er erfährt, wer sie hergestellt hat, welche speziellen Eigenschaften sie besitzt, vor allem welche Nebenwirkungen sie hervorrufen kann, es sei denn, daß der Arzt selbst ausdrücklich darauf hinweist. Dieser gleichzeitige Verkauf der Medizin, der selbstverständlich wie in einer Apotheke gegen Bezahlung geschieht, sichert Japans Ärzten ein beträchtliches zusätzliches Einkommen und macht viele von ihnen zu Spitzenverdienern im Land. Ohne das ungestörte Vertrauen der überwiegenden Mehrheit der Kranken zu ihrem Arzt ließe sich diese Art der medikamentösen Versorgung nicht aufrechterhalten. Das läßt ahnen, welchen Respekt Ärzte, wie übrigens alle Wissenschaftler und Akademiker, in Japan bis heute genießen.

Die Sorge, als Ausländer finanziell von japanischen Ärzten übervorteilt zu werden – eine Sorge, die in anderen Ländern ihre Berechtigung haben mag, wo man unterstellt, daß ohnehin nur wohlhabende Menschen reisen –, braucht sich in Japan niemand zu machen. Im Gegenteil, wer hier krank wird, darf auf besondere Anteilnahme rechnen, weil er doch in der Ferne die gerade jetzt so nötige Fürsorge seiner Angehörigen und Freunde entbehren muß. Fast jeder Ausländer, der länger in Japan lebt, wird irgendwann von japanischen Ärzten behandelt werden, von denen er hinterher nie eine Rechnung sieht.

Keine Angst
vor Gangstern

In welcher Massengesellschaft kann man große Geld-
beträge noch ungefährdet in der Hosentasche mit
sich herumtragen? In welchen dunklen Vorstadtvier-
teln von Millionenstädten kann eine einzelne Frau
noch nachts ungefährdet durch die Straßen laufen?
Wo kann man heutzutage noch mitten in einer Großstadt in der Sommerhitze sein Auto mit herunter-
gedrehten Scheiben parken? Wo ermahnt die Polizei
die Bevölkerung in einer mühsamen Kampagne, Rie-
gel und Sicherheitsketten an den Haustüren anzu-
bringen und die Wohnungen während des Einkau-
fens nicht einfach offenstehen zu lassen? Wo darf
man sich nachts in der letzten, fast leeren U-Bahn
völlig sicher fühlen?

Kein anderer moderner Industriestaat erfreut sich
einer niedrigeren Kriminalitätsrate als Japan. So
werden beispielsweise in den Vereinigten Staaten,
auf die Bevölkerungszahl umgerechnet, zweihun-
dertfünfzigmal mehr Gewaltverbrechen mit gefähr-
lichen Waffen begangen, und selbst in der Bundesrepublik zählt die Polizei umgerechnet noch immer

erheblich mehr derartiger Delikte als in dem ostasiatischen Inselstaat. Die Anzahl der Morde, jeweils bezogen auf eine Million Bürger, erreicht in Japan nur ein Fünftel der Morde, die in den USA begangen werden, und auf jeweils hundert Einbrüche in den Vereinigten Staaten fällt vergleichsweise ein einziger Einbruchdiebstahl in Japan. Würde die Kriminalität in Westeuropa auf japanische Dimensionen zurückschrumpfen – von den Vereinigten Staaten gar nicht zu reden –, hielten die europäischen Politiker die Probleme der Verbrechensverhütung für gelöst, sie würden wahrscheinlich erklären, die schwere Kriminalität sei so gut wie aus der Welt geschafft.

Wer von Statistiken nicht viel hält, findet auch sichtbare Beweise, die diesen erfreulichen Zustand belegen. In jeder Straße, an fast jeder Ecke in Japans Städten und Dörfern sind öffentliche Fernsprecher aufgestellt, und sie alle präsentieren sich ausnahmslos unbeschädigt und einsatzbereit. Selbst wer jahrelang in Tokio lebt, wird wahrscheinlich nie einen Apparat finden, dessen Hörer abgerissen und dessen Kabel zerschnitten wurden. Daneben liegen häufig dicke Telefonbücher, selbstverständlich nicht angekettet, sondern frei, keines davon zerfleddert, alle in ordentlichem Zustand. Wandschmierereien an Häusern, Brücken oder Haltestellen sind so gut wie unbekannt. In den dorfähnlichen Vororten der Großstädte, die fast ausschließlich aus kleinen, sich eng aneinanderdrängenden Holzhäusern bestehen, hängen wegen der Brandgefahr überall leicht erreichbare und ungesicherte Feuerlöscher. Niemand treibt damit Unfug.

Nach den Gründen für diesen fast idealen Zustand braucht man nicht lange zu forschen. Das soziale Gewebe der japanischen Gesellschaft ist trotz Industrialisierung und Verstädterung weitgehend intakt geblieben. Japans Millionenstädte haben immer noch ein wenig vom alten dörflichen Charakter bewahrt. Eine Verödung der Großstadtzentren nach Feierabend findet bis heute nicht statt, von wenigen Ausnahmen, wie etwa dem Bankenviertel Marunouchi in Tokio, abgesehen. Zwischen den Hochhäusern und in engen Gäßchen dahinter quirlt noch immer eine Welt, in der man einen sehr schönen Fernsehfilm vom alten Japan drehen könnte, wo jeder jeden kennt, wo man sich in den traditionellen Tempelfesten und Schreinumzügen zusammenfindet. In einer derart homogenen Gesellschaft fallen Fremde und Außenseiter leichter auf als im rassischen Gemisch sich ständig verändernder amerikanischer Ballungszentren. Hinzu kommen die klassischen japanischen Tugenden Selbstdisziplin, Anpassungsbereitschaft und das weitgehende Fehlen von Neidgefühlen. Schließlich spielt auch die Neigung der Japaner, sich in Gruppen zusammenzufinden, eine nicht zu unterschätzende Rolle, denn wer sich schlecht benimmt, lädt nicht nur individuelle Schuld auf sich, sondern schadet zugleich der Gemeinschaft (der Firma, dem Dorf, dem Stadtviertel), in die er sich fest eingebunden weiß.

Dies alles würde vielleicht noch nicht ausreichen

ohne eine vorbildlich organisierte und motivierte Polizei. In jedem Stadtviertel, in jedem Dorf existiert eine winzige Polizeistation, besetzt mit Beamten, die oft ihr ganzes Berufsleben nur in jenem Bezirk Dienst tun, zu Fuß und per Fahrrad, und die auf diese Weise wohl über alles informiert sind. Jedoch fühlt sich kaum jemand dadurch gegängelt oder überwacht, obgleich die Tätigkeit der Beamten über polizeiliche Aufgaben im engeren Sinne weit hinausreicht. Nichtsahnende Eltern erfahren durch sie vom Treiben ihrer Sprößlinge, Familienstreitigkeiten werden durch sie beigelegt, und unter den Gratulanten zum 80. Geburtstag erwartet ein Jubilar selbstverständlich auch den Polizisten vom nahegelegenen Wachposten. Der Vergleich mit Deutschland drängt sich auf, wo reformwütige Bürokraten und profilsüchtige Politiker ähnliche Organisationsformen zerstörten und der Weisheit letzten Schluß in zentralisierten, motorisierten und computerisierten Polizei-Großzentralen sahen – bis man erkennen mußte, daß dadurch nur die Entfremdung zwischen Polizisten und Bürgern gefördert wurde, so daß man heute wieder als »Neuentdeckung« zu den alten Zuständen zurückzufinden versucht. Die Japaner, wissend, wie rasch sich bewährte gesellschaftliche Zustände verschlechtern und wie schwer sie sich verbessern lassen, blieben, immun gegen Reform-Betriebsamkeit, gleich beim alten, mit beneidenswertem Erfolg. Als vor wenigen Jahren in Tokio ein junger Polizist seine Freundin umgebracht hatte, trat sofort der Chef der Kriminalpolizei der Elf-Millionen-Stadt zurück. Er demonstrierte so für alle Polizisten seinen Schock und seine Mitverantwortung, obgleich ihn an diesem beklagenswerten Verbrechen persönlich nicht die geringste Schuld traf. Daß ein Polizist ein Verbrechen begangen hatte, beschäftigte die Öffentlichkeit wochenlang.

Sobald es wirklich einmal zu einem schweren Verbrechen kommt, läßt der Staat nicht mit sich spaßen. Japan hat die Todesstrafe bislang nicht abgeschafft, und eine Unterschriftenaktion der japanischen Sektion von Amnesty International zur Aufhebung der Todesstrafe fand in der Öffentlichkeit fast keinerlei Resonanz. Strenge Gesetze verbieten den Besitz von Schußwaffen, und wer auch nur mit minimalen Mengen von Rauschgift erwischt wird, den erwarten schwere Strafen. Rauschgift hat sich in Japan bislang nicht zu einer Jugendseuche ausgebreitet, als modisch gilt Rauschgiftgenuß nur in der Schickeria der Vergnügungsindustrie. Doch wer als Pop-Star auch nur einmal mit Haschisch gefaßt wird, von Opium oder Heroin gar nicht zu reden, dem bleiben ab sofort die Türen zu den Fernsehstudios versperrt, und keine Rundfunkanstalt wird fortan noch seine Schallplatten senden.

Auf der anderen Seite gibt es auch in Japan Gangsterbanden, also eine organisierte Kriminalität. Doch Ausländer oder normale japanische Bürger werden davon wenig oder nichts merken. Ähnlich der italienischen Mafia beherrschen die Gangster die halblegalen oder illegalen Randbezirke der Vergnügungsindustrie, Massage-Salons, Pornokinos, Spielkasi-

nos, und neuerdings breiten sie sich auch im Waffen-
handel und im Rauschgiftschmuggel aus. An erpres-
serische Entführungen trauen sich Japans Verbrecher bislang nicht heran. Die Risiken scheinen ihnen
dabei offenbar zu hoch, so wie sie sich auch vor spek-
takulären Banküberfällen scheuen. Zur erstklassig
arbeitenden Polizei und zur begrenzten Möglichkeit,
in der Bevölkerung unterzutauchen, kommt als wich-
tiges Risiko hinzu, daß es erheblich schwieriger ist,
unbemerkt den Inselstaat Japan zu verlassen, als zum
Beispiel eine der durchlässigen europäischen Grenzen zu überschreiten.

Die Nutzanwendung für Japanbesucher: Zu
Angst, Verbrechern in die Hände zu fallen, besteht
kein Grund. Wo immer Sie herkommen mögen, hier
in Japan sind Sie geringeren Risiken ausgesetzt. Andererseits birgt gerade diese Gewißheit die Versuchung in sich, leichtsinnig oder gar übermütig zu
werden. Auch in Japan sollte niemand sein Schicksal
herausfordern. Vorsicht kann nicht schaden.

Stadt und Land:
Tokio, Kioto und der Berg Fuji

Alle Großstädte Japans zeigen sich auf den ersten Blick als wirres Gemisch stillosen Durcheinanders. Baufällige Holzhäuser ducken sich zwischen Glas- und Betonpalästen, eintönige offene Krämerbuden teilen sich die Straßenfronten mit protzigen Nachtlokalen, von schmutziger Großstadtluft angefressene Mietkästen drängen sich neben Hotels, deren Türmchen Schloß Neuschwanstein nachempfunden sind, und die grellen Reklamefassaden erschlagen sich gegenseitig. Nirgendwo in ganz Japan findet man Straßen wie die Champs-Élysées, Plätze wie die Spanische Treppe in Rom, Heiligtümer wie den Kölner Dom oder Gassen wie in der Limburger Altstadt. Ob man in einer Geschäftsstraße von Osaka oder Sendai oder Tokio steht, sie sehen alle ähnlich gesichtslos aus. Dafür gibt es einen einfachen Grund. In dem Land, das so häufig wie kein anderes der Welt von Erdbeben heimgesucht wird, war es bis zur Erfindung von Beton und Stahlträgern nicht möglich, große massive Gebäude zu errichten. Jahrhundertelang bauten die Japaner nur mit Holz, weil nur dieses

Material die Erdschwankungen elastisch überstand. Da bei den vielen Erdbeben meist die offenen Feuerstellen umkippten oder zerbrachen, brannten alle großen Siedlungen im Lauf der Geschichte immer wieder total nieder. Die letzten katastrophalen Zerstörungen wurden allerdings nicht von Erdbeben verursacht, sondern von den Brandbomben der Alliierten im Zweiten Weltkrieg: die Flammen fraßen ganze Städte wie Zunder weg. Nur wenige Gebäude haben die Zeiten überdauert, und sie alle, ausnahmslos, bestehen aus Holz.

Trotz dieser ernüchternden Tatsache kann jeder Besuch einer japanischen Stadt noch immer zu einer aufregenden Entdeckungsreise werden. Denn an vielen Orten gibt es noch immer alte Schinto-Schreine und buddhistische Tempel zu besichtigen, haben sich bis heute alte Holzpaläste aus der Feudalzeit und klassische Gärten erhalten. Sie blieben von den Feuersbrünsten der Erdbeben und des Zweiten Weltkriegs verschont, weil sie außerhalb der Städte lagen, die bis vor kurzem selber noch viel kleiner waren. Doch darf auch nicht verschwiegen werden, daß es sich bei so manchem »jahrhundertealten Holzgebäude«, etwa beim Asakusa-Kannon-Tempel in Tokio, um einen täuschend ähnlichen Beton-Neubau handelt.

Das ästhetische Geheimnis japanischer Städte liegt darin, daß sie ihre Reize nicht offenbaren, sondern verstecken. Gleich hinter einem tristen Häuserblock kann sich ein von alten Kiefern verdeckter Schrein verbergen, eine dichte Bambushecke kann die Sicht auf einen uralten Park mit kleinen Teichen verwehren, in denen bunte Riesenkarpfen den Besucher die Gegenwart vergessen lassen. Nicht in Prachtstraßen und riesigen Plätzen enthüllt sich das alte Japan, sondern in oft weit auseinanderliegenden verborgenen Gebäuden und Tempelanlagen.

Eine erste Fahrt durch die gesichts- und geschichtslosen Straßen von Tokio hat schon manchen Besucher in die Irre geleitet. Bis zur zweiten Hälfte des vorigen Jahrhunderts war Tokio, das bis dahin Edo hieß, als Sitz der Tokugawa Daimyo faktischer Regierungssitz und damit in erster Linie Verwaltungs- und Handelsmetropole. Das kulturelle und geistige Zentrum des Reiches lag in der Kaiserresidenz Kioto. Tokio ist deshalb nicht gerade reichlich gesegnet mit historischen Erinnerungen. Der heutige Kaiserpalast, hinter klobigen Mauern, steilen Wällen und breiten Wassergräben verborgen, diente vordem den Tokugawa-Fürsten als Herrschersitz, bis der Kaiser 1868 von Kioto nach Edo umzog und die Stadt nun in Tokio (»östliche Hauptstadt«) umbenannt wurde. Zweimal im Jahr, zu Neujahr und am Geburtstag des Kaisers, werden die Tore des Palastgartens für das Volk geöffnet. Dann zeigt sich der Kaiser mit seiner Familie hinter kugelsicheren Scheiben des Palastes seinen dichtgedrängt im Vorhof stehenden Landsleuten. Er folgt damit einem uralten asiatischen Brauch, nach dem das Volk Gelegenheit haben soll, sich durch Augenschein davon zu überzeugen, daß der Herrscher noch am Leben ist.

Die beiden bedeutendsten Schinto-Heiligtümer der Hauptstadt sind der umstrittene Yasukuni-

Schrein, in dem die Seelen der für das Vaterland gefallenen Japaner ihren Frieden finden, der den Militaristen bis 1945 als Nationalheiligtum diente und den die konservativen Kräfte heute erneut zur nationalen Weihestätte erheben möchten; das andere Heiligtum ist der dem Reformkaiser Meiji gewidmete, in einem stillen Park am Rande des Zentrums gelegene Meiji-Schrein. Beide stammen aus späterer Zeit.

Wer auch von Tokio aus das alte Japan sucht, dem bieten sich Tagesausflüge nach Nikko an, wo der Gründer der Tokugawa-Dynastie in einer prächtigen Ansammlung von Schreinen und Tempeln unter hohen Zedern mitten in den Bergen bestattet ist, oder nach Kamakura, das im frühen Mittelalter einmal als Regierungssitz diente und wo es nicht nur den größten im Freien sitzenden Bronze-Buddha der Welt, sondern auch eine Vielzahl klassischer Bauten zu besichtigen gibt.

Vor allem aber läßt sich in Tokio das moderne Japan bestaunen: atemberaubend einfallsreiche moderne Gebäude, Luxusläden, die an Eleganz längst ihren Pariser und New Yorker Vorbildern gleichkommen und sie an Service übertreffen, Warenhäuser, so vollgestopft mit Gütern aus der ganzen Welt, daß einen tagelang die Frage verfolgt, wer das alles kaufen soll. Wer in Japan einkaufen will, Kameras, HiFi-Geräte, Perlen, Uhren, der ist in Tokio am richtigen Ort.

Außerdem bietet keine Stadt in Japan, ja keine Stadt östlich von Rom, ein derart ausgeprägtes und vielfältiges Kulturleben. Klassisches Kabuki- und

Noh-Theater, moderne Experimentalbühnen, die neuesten westlichen und japanischen Filme, 143 Museen und dazu ein Konzertleben, das in der ganzen Welt unvergleichlich ist. Wem es in Tokio langweilig wird, dem ist nicht zu helfen.

Ein Japanbesuch ohne Kioto wäre wie ein Italienbesuch ohne Rom. Kioto, das ist das alte, das kaiserliche, das kulturell verfeinerte Japan. Dank der Einsicht einiger Leute im fernen Washington blieb die Stadt von den Bomben des Zweiten Weltkriegs verschont. Doch auch in Kioto liegen die Paläste, Tempel und Schreine über die ganze Stadt und die Umgebung verstreut, auch dort muß man sie suchen und sich erlaufen. Auch Kioto kennt keinen Platz wie den Kaiserpalast in Peking, das Rote Fort in Delhi oder den Vatikan in Rom, wo sich das Gefühl einstellt, hier stehe man im Zentrum der Welt.

Welche der unzähligen Sehenswürdigkeiten von Kioto man besuchen sollte? Die berühmten und daher immer überlaufenen Plätze, oder die weniger bekannten und stillen Paläste, Heiligtümer und Gärten? Die frühen Sitze der Mächtigen, wo zu lernen ist, was man im alten Japan unter Prunk und Reichtum verstand, oder jene Orte, deren vordergründige Schlichtheit unnachahmliche Raffinesse und Stilsicherheit verbirgt? Jeder Besucher muß das für sich selbst entscheiden, wobei er davon ausgehen kann, daß selbst ein wochenlanger Aufenthalt nicht ausreichen würde, Kioto ganz zu erfassen.

Ob sich ein Abstecher von Kioto nach Nara lohnt? Nara ist noch älter als Kioto, und der chinesische Ein-

Ein Sumo-Ringer macht Pause

fluß der Tang-Dynastie, der Japan so vielfältig geprägt hat, ist hier deutlicher zu erkennen. Doch wer nur begrenzt Zeit hat, dem rate ich, sich lieber ein bißchen länger durch Kioto treiben zu lassen, weil der Weg von Kioto nach Nara und zurück doch etliche Stunden verschlingt. (Das Fremdenverkehrsamt von Nara sei für diesen Hinweis um Entschuldigung gebeten.)

Wer aber Zeit hat, darf Nara nicht auslassen. Und wer gar länger in Japan lebt, der sollte unbedingt von den ausgetretenen Touristenpfaden abbiegen und auf Entdeckungsreisen gehen, nach Nagasaki auf der Insel Kyuschu, wo das Christentum Zugang nach Japan fand, auf die Insel Schigoku mit ihren abgelegenen Hochtälern, die an Schweizer Matten erinnern und wo man noch ländlichen Pilgerscharen begegnet auf dem Weg zu wunderwirkenden Schreinen und Tempeln, oder in den hohen, kühlen Norden, wo sich viele bäuerliche Überlieferungen und Feste bis heute erhalten haben.

Auch die zahllosen über ganz Japan verstreuten Onsen sollte niemand übersehen, jene Badeorte mit heißen Quellen, wo manche Genesung von ihren Leiden, aber die meisten Vergnügung und Entspannung im brühheißen Wasser suchen. Die früher üblichen gemischten Bäder, in denen sich unbekleidet Männer und Frauen zusammen vergnügten, sind allerdings aus der Mode gekommen, nicht zuletzt, weil seit dem Ende des vergangenen Jahrhunderts, nach Japans Öffnung zum Westen, die Missionare ins Land kamen und den Japanern einredeten, daß Nacktheit und ganz besonders das nackte Zusammensein von Menschen verschiedenen Geschlechts eine schwere Sünde sei. Doch in abgelegenen Bergregionen findet man noch Gemeinschaftsbäder, in denen es immer recht gesittet zugeht. Viele Japaner können sich übrigens kaum einen größeren Naturgenuß vorstellen, als mitten im Winter in einer tief verschneiten Landschaft, so wie der liebe Gott die Menschen erschaffen hat, im Freien in einer dampfend heißen Quelle vor sich hin zu schwitzen.

Schließlich, was wäre ein Japanbesuch ohne den Berg Fuji. Ein japanisches Sprichwort sagt, wer den Fuji nie bestiegen habe, sei kein richtiger Japaner – doch wer zweimal hinaufgeklettert wäre, sei ein Narr. Eine alpinistische Leistung ist die Besteigung des höchsten Berges in Japan (3776 Meter) nicht. Was man braucht, sind weder Pickel noch Seile, sondern feste Schuhe, trainierte Beinmuskeln und kräftige Lungen. Da man auf einer modernen Autostraße bis auf halbe Höhe fahren kann, lassen sich Auf- und Abstieg in einem Tag schaffen, wenn man zeitig morgens aufbricht. Wer jedoch den Sonnenaufgang auf dem Fuji erleben will, der muß, damit er noch früh in der Dunkelheit den Gipfel erreicht, einige Nachtstunden in einer der überfüllten Hütten am Berg verbringen, wo es kein fließendes Wasser und keine hygienischen Toiletten gibt und wo schon so mancher Bergsteiger sein Urteil von den sauberen Japanern revidiert hat. Wer schließlich keuchend und mit bläulichen Lippen den Gipfel schafft, den erwarten auf der Spitze, am Rand des Vulkankraters, Souvenirbuden, Getränkestände und Imbißstätten. Weil an manchen Sommertagen bis zu 40 000 Menschen den Berg auf ausgetretenen Pfaden hinaufsteigen, darunter junge Damen mit Stöckelschuhen, junge Ehepaare, die heulende Kinder hinter sich herziehen, und viel junges Volk mit quäkenden Transistorradios und plärrenden Kassettenrecordern, entspricht eine Besteigung des heiligen Berges Fuji nicht gerade den Erwartungen ausländischer Japanschwärmer. Am Ende der alljährlichen Klettersaison sammeln freiwillige Helfer weggeworfene Bierflaschen, zerquetschte Getränkedosen und Plastik- und Staniolfetzen von den Hängen auf, tonnenweise.

Völlig risikolos ist eine Besteigung nicht, denn gelegentlich losbrechende Steinlawinen kann niemand voraussehen. Von den Behörden ist der Berg ohnehin nur in den heißen Sommermonaten freigegeben, wenn der Schnee geschmolzen ist. Nur in diesen kurzen Wochen werden auch die Hütten bewirtschaftet und die Steigpfade von Helfern und Sanitätern überwacht. Schon mancher Leichtsinnige, der außerhalb dieser relativ sicheren Zeit, zum Beispiel im Winter auf Skiern, den Berg anging, kehrte nie zurück. Die größte Gefährdung der Wochenend-Kletterer aus den Großstädten besteht allerdings darin, den so harmlos daliegenden Berg zu unterschätzen.

Mancher Japanbesucher, der sich bescheiden mit einem Blick aus der Ferne zufriedengeben wollte, mußte erfolglos abreisen. Nur in der klaren und sauberen Herbst- und Winterluft von November bis Februar zeigt sich der Fuji mit Sicherheit in seiner grandiosen Gestalt. In den meisten Monaten, vor allem im Sommer, verhängt die schwüle und dunstige Luft den Blick. Doch wenn der Fuji zu sehen ist, hat er noch keinen Betrachter enttäuscht. Besonders aus der Ferne sieht er mit seinen weißen Flanken vor einem makellos blauen Himmel majestätisch aus – zu seinen eloquentesten Bewunderern gehören die, die nie oben waren.

Religion,
Natur und Kunst

In einem tiefen Wald duckt sich unter uralten, hohen
Zedern Japans bedeutendstes Schinto-Heiligtum,
der Ise-Schrein, in dem Japans mythische Urmutter,
die Sonnengöttin Amaterasu, verehrt wird. Vor jeder Auslandsreise meldet sich der Kaiser auch heute
noch hier ab, nach jeder Rückkehr verkündet er hier
der Sonnengöttin und Ahnherrin den glücklichen
Abschluß. Fast jeder neugewählte Ministerpräsident
erscheint im Ise-Schrein zum Antrittsbesuch. Zwar
trennt die Verfassung seit Kriegsende Staat und Religion strikt, doch die meisten Japaner fühlen sich nicht
gestört. Was jedem Bürger erlaubt sei, nämlich zu
einem schintoistischen Schrein oder zu einem buddhistischen Tempel zu pilgern, könne man schließlich
dem Kaiser oder einem Ministerpräsidenten nicht
verbieten.

Die Japaner sind in religiösen Fragen ein beispiel-
haft tolerantes Volk. Nie haben sie sich in Religions-
kriegen zerfleischt. Die Mehrheit befolgt sowohl
schintoistische wie buddhistische Riten, was in der
Praxis darauf hinausläuft, daß die meisten im farbi-

gen, lebensbejahenden schintoistischen Zeremoniell heiraten und in der Todesstunde den buddhistischen Priester rufen. Dabei ist zu bedenken, daß der japanische Buddhismus wenig mit jener entsagenden südostasiatischen Ausprägung gemein hat, sondern im Lauf der Jahrhunderte auf die einfachen und irdischen Bedürfnisse der breiten Bevölkerung Japans zurechtgestutzt wurde. Nicht im praktizierten Glauben, sondern in seinen Kunstwerken erreicht Japans Buddhismus seine eigentliche Größe.

Doch zurück zum Ise-Schrein, der zu den architektonischen Weltwundern gehört – nicht wegen seiner Pracht, wegen gewagter, kühner, bahnbrechender Konstruktion, sondern ganz im Gegenteil, wegen seiner beispiellosen Schlichtheit, wegen der meisterhaften Reduzierung der Holzkonstruktion auf das absolut Notwendige. Wie aus der Natur herausgewachsen wirkt das Heiligtum. Um diese enge Verbundenheit von Religion und Natur noch deutlicher zu markieren, unterliegt auch der Ise-Schrein dem natürlichen Gesetz des Werdens und Vergehens. Alle zwanzig Jahre wird er niedergerissen, nachdem zuvor auf einem brachliegenden Nachbargrundstück dasselbe Gebäude neu errichtet worden ist. Natur und Religion sind in schintoistischer Überlieferung eins. Die unzähligen Schinto-Götter wohnen in uralten Bäumen, in sprudelnden Quellen und nehmen oft auch die Gestalt von Bergen, Steinen oder Wasserfällen an. Dann wohnen die Götter nicht nur in der Natur, sondern werden zu ihrem Bestandteil.

In fröhlichen Umzügen und Opferfesten fühlen

sich noch immer die Dörfer und Stadtviertel den Göttern ihrer Umgebung verbunden. Die Trennung zwischen dem Schrein-Schinto des Volkes und dem Staats-Schinto um das Kaiserhaus, der den Nationalisten in der ersten Jahrhunderthälfte zur Legitimierung ihrer Japan-über-alles-Politik diente, erweist sich als recht künstliche Konstruktion – die Sonnengöttin Amaterasu war und ist im Grunde nichts anderes als die Hausgöttin des Kaisergeschlechts und steht damit lediglich hierarchisch höher als die anderen Schutzgötter. Indem die Verfassung heute den Staats-Schinto verbietet, verhindert sie einen erneuten nationalistisch-religiösen Kaiserkult. Doch da sie dem Kaiser nicht das Recht nimmt, »als Privatperson« den Schrein seiner Ahnen aufzusuchen und uralte schintoistische Rituale zu pflegen, kann vom Absterben des Staats-Schinto keine Rede sein. Seine Revitalisierung erscheint heute nicht wahrscheinlich, bleibt jedoch möglich.

Religionswissenschaftler und gelegentlich auch die Gerichte streiten sich darüber, ob der Schintoismus überhaupt als Religion anzusehen sei oder ob er lediglich Brauchtum darstelle. Er kennt nämlich weder moralisch-religiöse Postulate wie etwa die christlichen Zehn Gebote, noch bietet er eine klare Vorstellung über das Leben nach dem Tod. Im Grunde ist er nichts anderes als die Vorstellung von einer beseelten Natur, in der sich der Mensch durch ein von Priestern vollzogenes spirituelles Reinigungsritual den Göttern nähert. Wer als Japaner demütig und offenen Geistes einen Schrein aufsucht, ist aufgenommen.

Nach schintoistischem Schöpfungsmythos entstanden zugleich mit den Göttern auch die japanischen Inseln und alle Wesen, die sie bevölkern. Deshalb bilden nach schintoistischer Vorstellung das Kaiserhaus, der Staat, das Volk und die Natur eine unzertrennbare Einheit. Und deshalb ist auch der Missionsgedanke dem Schintoismus fremd.

So wie die Götter zur Natur gehören, ist auch der Mensch nur ein Bestandteil des Ganzen, und er ist nicht, wie überwiegend in westlichen Vorstellungen, Herr der Erde. Der christliche Auftrag »Macht euch die Erde untertan« klingt in japanischen Ohren als Anmaßung. Sich einzufügen in den Rhythmus der Natur, sich anzupassen, so wie sich auch der Ise-Schrein einfügt und anpaßt, das Schicksal mit seinen vielen Katastrophen, den Erdbeben, den Taifunen, anzunehmen und aus jeder Lage das Beste zu machen, das halten die meisten Japaner für die vernünftigste Existenzbewältigung. Seitdem Europäer und Amerikaner die höchsten Gipfel der Welt erobern, klettern zwar auch die Japaner mit, und manche ihrer alpinistischen Leistungen, wie etwa die Besteigung des Mount Everest durch eine Frau, brachten ihnen weltweiten Respekt. Doch vor der Berührung mit den Europäern wären sie nie auf die Idee gekommen, daß man Berge »erobert« und sich »unterwirft«.

Diese Einstellung läßt sich besonders deutlich in der japanischen Kunst, vor allem in der Landschaftsmalerei, erkennen, und sie wird von allen übrigen Ostasiaten, Chinesen und Koreanern, geteilt. Nie steht der Mensch im Mittelpunkt. Nie füllen abgearbeitete Bauern, festlich gekleidete Frauen oder fröhlich spielende Kinder die Bildfläche aus. Statt dessen wird fast immer die Natur in ihrer Ganzheit dargestellt: Berge, die sich in der Ferne im Dunst verlieren, rauschende Wasserfälle, Flüsse, die sich durch Felder und Bambushaine winden. Klein, winzig klein, fügt sich der Mensch in dieses Panorama ein, oft nur am Rande des Bildes, mit sparsamen Strichen nicht als Individuum, sondern bescheidener als Gattung charakterisiert. Häufig wird er nicht einmal gezeigt, nur angedeutet, durch kräuselnden Rauch, der aus einer Fischerhütte aufsteigt, durch Dächer, die hinter einem Hügel herausragen. Nie wird der Mensch zum Maß der Dinge.

Wie in der Architektur des Ise-Schreins zeigt auch in der Malerei der Meister die Kunst im Weglassen, in der Sparsamkeit der Mittel. Der geschulte Blick eines Japaners vermag vielfältige Abstufungen in einer Tuschezeichnung zu erkennen, jene subtilen Schattierungen zwischen tiefem Schwarz und blassem Grau. Tuschezeichnungen wirken auf Japaner nicht weniger farbig als bunte Ölbilder auf Europäer. Japaner füllen solche Bilder mit ihrer Phantasie aus, sie erkennen darin mehr als der Künstler dargestellt hat. Wobei nicht übersehen werden sollte, daß ein Tuschebild schwerer herzustellen ist als ein Ölgemälde. Gerade weil es aus dem absoluten Minimum an Strichen besteht, muß jeder einzelne Pinselzug makellos zu Papier gebracht werden, denn die Dicke eines Striches, sein Verlauf, die Tiefe der Schwärze, das alles läßt sich hinterher nicht mehr korrigieren.

Eine kleine Unsicherheit beim letzten Pinselstrich und das Werk ist unrettbar mißlungen.

Japanische Malerei hat weitgehend symbolhaften Charakter. Die beliebten Bambuszeichnungen stellen nicht einfach einen Strauch dar. Sie zeigen, wie man durch geschmeidiges Nachgeben und durch Zähigkeit überlebt, so wie die Kiefer, die ihre Wurzeln in die Felsen krallt und deren Äste unter dickem Schnee nicht brechen, unbeugsamen Lebenswillen demonstriert. Häufig auch ersetzt ein Detail das Ganze. Ein Tiger, der durch ein Gehölz schleicht, mahnt, daß das Leben voller Gefahren steckt – und daß oft der Stärkere überlebt. Ein kahler Ast, auf dem ein einsamer Rabe sitzt, läßt die Kälte des Winters und die Einsamkeit des Alters ahnen.

Nie entfernt sich japanische Kunst weit von der Natur. Mögen die Chinesen ihre Tempel und Paläste rot lackieren und mit prächtigem Gold verzieren, so erfreuen sich Japaner am Holz in seiner natürlichen Maserung. Auch die berühmten japanischen Gärten wirken auf den ersten Blick wie ein Stück unverdorbener Natur, während sie in Wahrheit komplizierte Kompositionen darstellen, in denen kein Stein sich etwa zufällig ein wenig zur Seite neigt, in denen im Herbst kein blutrotes Ahornblatt zufällig auf grünes Moos herabsinkt, in denen kein sprudelnder Quell ungeplant sein Wasser über rundgeschliffene Kiesel rieseln läßt. Der ästhetische Reiz japanischer Gärten besteht darin, daß sie auf raffinierteste Weise Natürlichkeit vorspiegeln. Die abgezirkelten Rabatten und geometrischen Beete europäischer Schloßanlagen sagen Japanern nichts. In der Gartenkunst, wie bei der Tuschemalerei, besteht wahres Können im Weglassen, damit die verbleibenden Steine und Pflanzen um so klarer zur Geltung kommen. Ihre Perfektion erreicht diese Kunst in den abstrakten zenbuddhistischen Steingärten von Kioto, die nur noch aus rillenartig gerechten Kieseln und einigen wenigen moosbewachsenen Felsbrocken bestehen – Gärten, in denen die Natur nicht mehr zu erkennen, sondern nur noch zu ahnen ist. Auch Ikebana, die Kunst des Blumenarrangements, erreicht mit einigen wenigen Blüten und Zweigen intensivere Wirkungen als der dickste europäische Rosenstrauß.

Japaner erblicken in einem Kunstwerk oft nicht nur mehr als Europäer, sie besitzen auch umgekehrt die Fähigkeit, Vorhandenes einfach zu übersehen. Im klassischen Bunraku-Puppentheater werden die fast lebensgroßen Puppen von schwarzvermummten Männern auf der Bühne hin und her bewegt. Japaner sehen dabei nur die Puppen und denken sich die Akteure weg. Es stört sie auch nicht, wenn sich direkt neben einem Schrein in einer alten Baumgruppe eine häßliche Fabrikwand erhebt. Sie nehmen von ihr keine Notiz. Vielleicht hat sich diese Fähigkeit, selektiv zu sehen, aus dem engen Zusammenleben der Japaner entwickelt, aus der fehlenden Möglichkeit, sich individuell zu isolieren. Wer nicht alles um sich herum zur Kenntnis nimmt, macht sich das Leben leichter.

Die Folge all dieser Besonderheiten ist, daß sich Japans Kunst nicht aufdrängt. Wegen der großen

Kioto

Entfernung von Europa und weil Chinas beherrschende Kultur jahrhundertelang den Westen faszinierte, wartet die japanische Kunst noch immer auf ihre Entdeckung im Abendland. Das ist besonders schade, weil doch all das, was die japanische Kunst so einmalig macht – die Sparsamkeit der Mittel, die zeitlose Naturnähe, das gekonnte Understatement, die handwerkliche Meisterschaft und die Eleganz der Bescheidenheit –, den streßgeplagten und reizüberfluteten Europäern helfen kann, wieder festen Boden zu gewinnen. Wer sich mit japanischer Kunst beschäftigt, entdeckt nicht nur eine neue Welt, sondern findet vielleicht auch zu sich selbst zurück.

Ein Volk
wie kein anderes

Versuchen Sie, liebe Leserinnen und Leser, einen kleinen Test. Erzählen Sie einem Amerikaner, Sie würden beim besten Willen Amerika nicht begreifen. Mit großer Wahrscheinlichkeit wird Sie der Amerikaner verständnislos anschauen und Ihnen versichern, da sei doch gar nichts zu begreifen, Amerikaner seien eben Menschen wie alle anderen. Erklären Sie dann einem Franzosen, daß es Ihnen nicht gelänge, französische Denkweisen und französisches Verhalten zu analysieren. Der Angesprochene wird vermutlich freundlich mit Ihnen diskutieren, doch werden Sie bald merken, daß ihm Ihr Nichtverstehen im Grunde ziemlich egal ist. Versichern Sie dagegen einem Japaner, daß Ihnen trotz nicht endender Bemühungen Japan leider völlig fremd bleibe, dann werden seine Augen aufleuchten, weil er bestätigt findet, wovon er zutiefst überzeugt ist, daß nämlich Ausländer Japaner nie wirklich verstehen können.

Unterschiede gibt es zwischen allen Völkern. Was die Japaner jedoch von allen anderen unterscheidet, ist ein in der Welt beispielloses Bewußtsein des

Andersseins, das alle Japaner durchdringt, das sie psychologisch gegen Ausländer instinktiv auf Distanz gehen läßt und das sie offenbar zur Herstellung ihres seelischen Gleichgewichts brauchen. Allein die Überzeugung von ihrer Besonderheit, ob berechtigt oder nicht, würde das Verhältnis der Japaner zur Außenwelt auf vielfache Weise prägen, doch handelt es sich bei diesem Gefühl nicht um eine eingebildete Marotte, sondern um tiefsitzende historische, geographische und religiöse Erfahrungen.

Jahrhundertelang, bis in die Mitte des vorigen Jahrhunderts, lebte Japan in radikaler Selbstisolierung. Allen Ausländern war das Betreten des Inselstaates bei Todesstrafe verboten (nur die Holländer durften im Hafen von Nagasaki auf einer kleinen aufgeschütteten Insel einen streng abgeschirmten Handelsposten unterhalten, der den japanischen Behörden als Guckloch zum Westen diente), kein Japaner konnte ins Ausland reisen, Japans Herrscher gestatteten keinem fremden Staat die Errichtung einer Botschaft und schickten selbst keine Botschafter zu ihren Nachbarn, und sogar Fischern, die ein Sturm an fremde Küsten trieb, blieb die Rückkehr in ihre Heimat verwehrt.

Erleichtert wurde den militärischen Machthabern diese Abgrenzungspolitik durch die geographischen Gegebenheiten des Inselstaates. Jahrhundertelang begegnete kein Japaner je einem Ausländer, blickte jeder Japaner von den Grenzen des Kaiserreichs, also von den Küsten, nur hinaus auf endlose Meere. Eine Begegnung mit fremden Kulturen gab es nicht.

Daß die Japaner am Beginn ihrer Staatsgeschichte engste Kontakte zu China und Korea unterhalten und aus beiden Staaten stärkste kulturelle Impulse empfangen hatten, war längst aus dem nationalen Bewußtsein verdrängt. Auch daß sie ihre Nationalreligion, eine Mischung aus Naturglauben und Nationalgefühl, mit keinem anderen Volk teilten, wirkte jeder geistigen Öffnung entgegen.

So entwickelten die Japaner eine nationale Geschlossenheit, die unter den großen Völkern und den modernen Industrienationen keine Parallele findet. In Japan bleiben die Japaner bis heute unter sich. Nie, bis zum Beginn der amerikanischen Besatzung 1945, zogen fremde Heere über die Inseln hinweg, nie mußten sich Japaner mit Besatzungsmächten arrangieren, nie suchten Flüchtlingsmassen vom asiatischen Kontinent an Japans Ufern Zuflucht, nie brachten junge Japaner ausländische Ehepartner nach Hause. Selbst als sich Japan endlich 1868 dem Westen öffnete, änderte sich nicht allzuviel, denn die Zahl der ausländischen Kaufleute, die sich zunächst in Yokohama niederließen, blieb klein. Die ausländischen Experten, die nun ins Land kamen, zogen alle nach ein paar Jahren wieder ab. Das Ziel der Meiji-Reformen bestand gerade nicht darin, Japan eng in die Völkerfamilie einzugliedern, sondern durch die Übernahme von westlicher Wissenschaft und Technologie Japan in die Lage zu versetzen, seine Unabhängigkeit und Einzigartigkeit gegen die Kolonialmächte zu behaupten. Auch in der ersten Hälfte dieses Jahrhunderts unterbanden Japans nationalistische Politiker und später die Militärs soweit wie möglich alle menschlichen und kulturellen Kontakte zum Ausland. Erst seit 1964, als die Ausstellung von Pässen erleichtert und die strengen Devisenbestimmungen gelockert wurden, können Japaner zum erstenmal in der Geschichte frei ihre Heimat verlassen und sich in der weiten Welt umschauen.

Unter den mehr als einhundertfünfzehn Millionen Japanern leben heute nur zwei kleine nationale Minderheiten, beide existieren eher neben als in der japanischen Gesellschaft. Den etwa fünfzigtausend Chinesen, die vorwiegend als Kaufleute und Restaurantbesitzer arbeiten, geht es dabei noch relativ gut, nicht zuletzt, weil die Japaner seit der weitgehenden Übernahme chinesischer kultureller Leistungen vor eintausendvierhundert Jahren vor dem Reich der Mitte großen Respekt empfinden, während die sechshundertfünfzigtausend in Japan lebenden Koreaner, als Zwangsarbeiter im Zweiten Weltkrieg ins Land geholt oder als deren Nachkömmlinge geboren, unter entwürdigenden Diskriminierungen leiden. Keine einzige große japanische Firma nimmt diese Koreaner oder deren Nachkommen als Stammarbeiter auf, und eine junge Japanerin könnte ihre Eltern keiner größeren Peinlichkeit aussetzen, als sich in einen Koreaner zu verlieben. Die Gesamtzahl aller übrigen in Japan auf Zeit lebenden Ausländer liegt unter siebzigtausend, was, alle zusammengezählt, weniger als achthunderttausend Ausländer im heutigen modernen Japan ergibt, während sich, zum Vergleich, in der Bundesrepublik mit ihrer viel geringeren Gesamtbevölkerung jüngst zeitweise fast vier Millionen Ausländer niederließen.

Eine Umfrage der japanischen Regierung hat vor einigen Jahren ergeben, daß vierundsechzig Prozent der japanischen Bevölkerung Kontakten mit Ausländern am liebsten aus dem Weg gehen. Ausländer, Fremde, stellen für fast alle Japaner noch immer besondere Wesen dar, nicht »Menschen wie du und ich«, sondern Leute mit seltsamen Gewohnheiten, Außenstehende, nicht Mitbürger einer alle Völker und Rassen zusammenbindenden *Family of Men*. Diese Einstellung erweist sich als außerordentlich nachteilig für Ausländer, die Japan zu ihrer Heimat machen möchten, für Flüchtlinge, für Asylsuchende, die letztlich allesamt instinktiv als unerbetene Eindringlinge, als Bedrohung des sozialen Gewebes empfunden werden. Doch macht eben genau dieses Grundgefühl jenen anderen Ausländern, die als Besucher, als Touristen, als Geschäftsleute, als Lehrer kommen, den Aufenthalt besonders angenehm, weil man auch mit ihnen nicht umgeht wie mit seinesgleichen, sondern ganz besonders höflich, beispiellos gastfreundlich, damit ja jeder einen möglichst positiven Eindruck von Japan mit nach Hause nimmt. Die liebenswürdige Zuvorkommenheit und Hilfsbereitschaft, die alle Besucher aus dem Westen in Japan so nachhaltig beeindruckt, gilt also nicht allen Fremden schlechthin, sie ist letztlich die positive Folge japanischer Abgrenzung, so etwa wie unsere Eltern einen fremden Gast in der »guten Stube« zu empfangen pflegten und bei dieser Gelegenheit das feine Porzellan aus dem

Schrank holten, während die unerwünschten Ausländer alle negativen Seiten jener fortbestehenden geistigen Selbstisolierung zu spüren bekommen. Aus seiner Abseitsstellung herauszufinden bleibt das große, ungelöste geistige Problem Japans. Dabei ist zu hoffen, daß den Japanern eine letztlich als selbstverständlich empfundene Einpassung in die Kulturen der Welt gelingt, ohne daß ihre eigene kulturelle Identität bei diesem Prozeß Schaden nimmt. Denn jeder Japanbesucher, der sich vorurteilslos und mit offenen Augen umsieht, erkennt bald, daß die Welt viel mehr von Japan lernen kann, als sie bisher ahnt.

Religiöse oder ideologische Toleranz zum Beispiel. Während der Westen mit strenger Logik und ohne Rücksicht auf die Folgen in Entweder-Oder-Kategorien denkt, versuchen die Japaner durch ein Sowohl-Als-auch Brücken zu schlagen. Schintoisten und Buddhisten zugleich zu sein, ist für sie kein Widerspruch, was zum Beispiel zur Folge hat, daß viele im irdisch-farbigen Schinto-Ritual heiraten und sich in weltabgewandten buddhistischen Zeremonien bestatten lassen. Religionskriege hat es in Japan nie gegeben, bekannte Philosophen hat Japan nicht hervorgebracht, und nie wird man Japaner treffen, die sich in hitzigen weltanschaulichen Disputen ineinander verbeißen.

Aufdringliche Japaner, Menschen, die sich ungebeten in die privaten Angelegenheiten ihrer Mitmenschen einmischen, die aus einer beruflichen oder oberflächlichen Verbindung dreist persönliche Vorteile herauszuhandeln versuchen – es mag sie geben, doch ich habe in langen Jahren in Japan nicht einen einzigen Vertreter dieser Sorte getroffen. Aus Diskretion wegzuschauen, wenn jemand in Verlegenheit gerät, das ist japanische Art, nie wird sich einer an der Pein eines anderen ergötzen. Als einmal bei einer großen, vom Fernsehen direkt übertragenen öffentlichen Veranstaltung der erhöht auf der Bühne sitzende alte Tenno, von langen Festreden und von feierlich-getragener Musik ermattet, sanft einschlummerte, gingen sofort die Fernsehkameras in Totaleinstellungen über, in denen keine Einzelheiten im großen Saal mehr zu erkennen waren. Unter den Hunderten der anwesenden Gäste fing kein einziger an zu kichern, niemand stieß belustigt seinen Nebenmann an. Und selbstverständlich erwähnte die Presse das Nickerchen der Majestät am nächsten Tag mit keinem Wort. Wer erinnert sich in einer solchen Situation nicht an jenen deutschen Bundespräsidenten, dessen altersbedingten Schwächen unzähligen Landsleuten jahrelang als Zielscheibe ihres billigen Spotts dienten.

Viele Bücher sind darüber geschrieben worden, daß die Japaner sich gerne in Gruppen zusammenfinden, als deren wichtigste heutzutage die Firma gilt. Für ihre Gruppenloyalität, also auch für ihre Firmentreue, gibt es weltweit keinen Vergleich. Ein Japaner, der in einen Großbetrieb aufgenommen wird und der dort meist bis zum Ende seines Arbeitslebens praktisch unkündbar bleibt, honoriert diese soziale Sicherheit, diese an eine Großfamilie erinnernde Geborgenheit, mit Fleiß und Disziplin.

Ein enges Zusammenleben in Gruppen fördert andere Tugenden als die im Westen als höchstes Ziel angestrebte Selbstverwirklichung des einzelnen in einem möglichst breiten, von der Verfassung gesicherten Freiheitsraum. Nicht, wer sich kraft seiner Ellenbogen nach oben durchboxt, gilt als Idealtyp, sondern wer sich einfügt. Nicht, wer sich Privilegien erkämpft, sondern wer um der Gruppe willen seine Ziele zurücksteckt, wird respektiert. Neuerdings steigt die Zahl bedeutender technischer und wissenschaftlicher Erfindungen in Japan bemerkenswert an, trotzdem ist kaum ein japanischer Erfinder der Öffentlichkeit bekannt. Warum? Weil auch die meisten Neuentwicklungen auf Teamarbeit zurückgehen und weil auch der schöpferischste Mitarbeiter einer solchen Gruppe bemüht bleibt, nach außen hin aus der Gemeinschaft nicht herauszuragen.

Auch Japaner wollen nicht unter Unrecht leiden und nicht in Unfreiheit leben. Trotzdem hätte die amerikanische Erklärung der Menschenrechte nie in Japan verfaßt werden können, weil sie ausschließlich auf den Schutz des einzelnen hin formuliert ist.

Wahrscheinlich liegt der größte Gewinn einer Japanreise nicht im Anblick des Berges Fuji und im Besuch der Tempel und Schreine von Kioto, sondern in der Erkenntnis, daß ein hochmoderner Industriestaat auf völlig anderen Grundvorstellungen aufgebaut sein kann, als das im Westen geschehen ist, daß Modernisierung nicht den Verzicht auf bewährte Überlieferungen bedingt, daß Geborgenheit auch in einer modernen Massengesellschaft möglich ist. Ich will damit nicht eine Nachahmung japanischer Vorbilder empfehlen, sondern nur deutlich machen, daß der Westen keineswegs das Maß aller Dinge bildet und das Zentrum der Welt darstellt. Wer von einem Japanbesuch nicht mehr mitbringt als jene Erkenntnis, die Bert Brecht auf die Kurzformel brachte: »Es geht auch anders, doch so geht es auch«, für den hat sich die weite Reise schon gelohnt.

Damit verabschiede ich mich von Ihnen, meine geduldigen Leserinnen und Leser, mit herzlichem Dank für Ihre Aufmerksamkeit und mit jener bezeichnenden japanischen Formel, mit der man sich nach einem Besuch empfiehlt: *Shitsurei shimashita.* Was heißt: Entschuldigen Sie bitte die Belästigung.

Gebrauchsanweisung für ...

Gerhard Dambmann
Gebrauchsanweisung für Hongkong und Macao
158 Seiten mit 14 Abbildungen. Kt.

Vom gleichen Autor liegt vor:
Gebrauchsanweisung für Japan
155 Seiten mit 10 Abbildungen. Kt.

Uli Franz
Gebrauchsanweisung für China
197 Seiten mit 20 Abbildungen. Kt.

Johannes Grotzky
Gebrauchsanweisung für die Sowjetunion
192 Seiten mit 20 Abbildungen. Kt.

Wolfgang Koydl
Gebrauchsanweisung für Ägypten
176 Seiten mit 21 Abbildungen. Kt.

Heinz Ohff
Gebrauchsanweisung für England
175 Seiten mit 16 Abbildungen. Kt.

Dietmar Polaczek
Gebrauchsanweisung für Italien
207 Seiten mit 9 Abbildungen. Kt.

PIPER

Gebrauchsanweisung für ...

Klaus-Peter Schmid
Gebrauchsanweisung für Frankreich
168 Seiten mit 18 Abbildungen. Kt.

Barbara Yurtdaş
Gebrauchsanweisung für die Türkei
192 Seiten mit 14 Abbildungen. Kt.

Paul Watzlawick
Gebrauchsanweisung für Amerika
Ein respektloses Reisebrevier. Zeichnungen von Magi Wechsler.
163 Seiten. Kt.

Die bis jetzt zehn Bände umfassende Reihe –
von echten Landeskennern geschrieben –
gibt dem Reisenden unerläßliche Informationen
und Tips, die so alltäglich sind, daß sie
in vielen Reiseführern ignoriert werden.
Gleichzeitig wird er an die Mentalität der
Menschen seines Gastlandes herangeführt,
was ihm manches Mißverständnis und manche
Peinlichkeit erspart.

Piper Panoramen der Welt

Rolf Ackermann
8mal Sardinien
224 Seiten mit 16 Fotos. Serie Piper 5109

Fritz René Allemann
26mal die Schweiz
Panorama einer Konföderation.
619 Seiten mit 17 Fotos. Serie Piper 5106

Harald R. Bilger
111mal Südafrika
Überarb. Auflage. 377 Seiten mit 35 Fotos. Serie Piper 5102

Fritz Böhm
6mal Prag
280 Seiten mit 25 Fotos von Werner Neumeister.
Serie Piper 5119

Raymond Cartier
50mal Amerika
Übersetzt aus dem Französischen von Leonore Schlaich/Max Harriès Kester.
519 Seiten mit 31 Fotos. Serie Piper 5101

Rudolph Chimelli
9mal Moskau
231 Seiten mit 19 Fotos. Serie Piper 5113

Gerhard Dambmann
25mal Japan
Weltmacht als Einzelgänger.
335 Seiten mit 22 Fotos. Serie Piper 5104

PIPER

Piper Panoramen der Welt

Willy Guggenheim
30mal Israel
Überarb. und aktualisierte Neuausgabe.
461 Seiten mit 30 Fotos. Serie Piper 5108

Erich Helmensdorfer
54mal Ägypten
Erweiterte und aktualisierte Auflage.
326 Seiten mit 28 Fotos. Serie Piper 5115

Gebhard Hielscher
38mal Korea
505 Seiten mit 13 Fotos. Serie Piper 5125

Arnold Hottinger
7mal Naher Osten
Überarb. und aktualisierte Neuausgabe.
417 Seiten mit 16 Fotos. Serie Piper 5127

Toni Kienlechner
12mal Italien
458 Seiten mit 17 Fotos. Serie Piper 5110

Catherine Krahmer/Josef Müller-Marein
21mal Frankreich
442 Seiten mit 22 Abbildungen. Serie Piper 5103

Rudolf Walter Leonhardt
77mal England
Panorama einer Insel.
442 Seiten mit 33 Fotos. Serie Piper 5112

Eka von Merveldt
4mal Florenz
Überarbeitete Neuausgabe.
383 Seiten mit 20 Fotos. Serie Piper 5130

PIPER

Piper Panoramen der Welt

James Morris
3mal Venedig
Aus dem Englischen von Hermann Stiehl und Christian Röthlingshöfer.
365 Seiten mit 21 Fotos. Serie Piper 5136

Rüdiger Siebert
5mal Indonesien
Annäherung an einen Archipel.
531 Seiten mit 32 Fotos. Serie Piper 5116

Rüdiger Siebert
3mal Philippinen
Das andere Asien. 394 Seiten mit 30 Fotos.
Serie Piper 5131

Klaus Viedebantt
30mal Australien
Überarb. und aktualisierte Neuausgabe.
358 Seiten mit 29 Fotos. Serie Piper 5126

Günter C. Vieten
30mal Holland
219 Seiten mit 18 Fotos. Serie Piper 5138

Piper 34/10c

PIPER